コミーの青春・序章

過ぎ去りし日々

コミー
Kommy

風詠社

目次

青春とは人生のある期間ではなく、

心の持ちかたを言う。

サムエル・ウルマン

『青春とは、心の若さである。』

作山宗久（訳）、角川文庫より引用

この物語は、筆者自身の体験をもとにしたフィクションである。
従って登場人物・組織等は全て架空のものである。

【第一部】半自伝編

第一章　学生編

ああ、初恋

中学二年生の頃の話。

僕の部屋は工場の一角にあった。机を除くと畳一畳分くらいの非常に狭いスペースである。ここで寝起きして食事の時は母屋に戻っていく。理由は母屋が狭かったことと、自立させる意図があったのかもしれない。

離れの工場で良かったこと。それは机の隣に黒電話があったことだ。夜になると工場には人が居ないのでいつでも電話をかけられる環境にある。つまり、家族に聞かれずに電話かけ放題ということである。

とある夜のこと。

僕は勇気を出して初恋のSさんに電話することにした。

当時はまだ黒いダイヤル式の電話機だった。
数字の穴に指を突っ込み、回すタイプのやつだ。
ダイヤルは戻るときジーっという音がして、そして音を立てながら元の位置に戻る。
僕はダイヤルが戻るたびにドキドキしていた。
緊張しすぎてダイヤルが戻っている途中で受話器を置いてしまう。
再び勇気を取り戻し受話器を持ち上げ電話をする。
一回、二回とダイヤルを回す。
手がブルブルと震えているのが分かる。
とうとう最後までダイヤルを回しきった。
が、その瞬間やっぱり受話器を置いてしまった。
ダメな奴、僕。

当時の家庭での電話は夜九時までと暗黙の了解があった。
今、八時四十五分。
どうしよう、心臓が高鳴る。
Sさんの声が聴きたいという思いも募る。

三度目の正直、受話器をあげダイヤルをする。
今度は最後までダイヤルした。
ツルー、ツルーという呼び出し音が聞こえてきた。
再び心臓の鼓動が高鳴り、ドクドク、ドクドクと聞こえてくる。
「やっぱ。ダメだ」
とつぶやいてまたまた受話器を置いてしまう。
なんて、ダメ奴。本当にダメな奴、僕。

深呼吸して心臓の呼吸を整える。
今、八時五十五分。これが最後のチャンスだ。
最後の勇気を振り絞り、ダイヤルを回す。
繋がった、またまた呼び出し音が聴こえてきた。
一回、二回、三回……。
今度はなんとかこらえている。
緊張は最高潮になる……。
そして、ガチャという音とともに誰かが電話口にでた……。

「もしもし」という声が聞こえた、野太い男の声であった。
Sさんの父親であろうか。
僕は、思わず受話器を置いてしまった。
本当に、本当にダメな僕。

もう、四十年前の僕の姿。

でも、翌日再び勇気を出して電話した。
電話の周りを巡ること三十分。
「エーイ」と気合い入れるとやにわにダイヤルを回した。
今回はいきなり清水の舞台から飛び降りた。
……呼び出し音が聴こえてきた。
一回、二回、三回……。
ガチャという音とともに受話器が上がる音がした。
再び緊張感が最高潮に達する。
今度はあの愛おしいSさんの声だ。

僕は思わず声がうわずってしまった。
「もひもひ」なんて間が抜けた声を出してしまった。
それでも彼女はすぐ僕だということを分かってくれた。
それから約一時間、いろいろな話をしてくれた。
僕は話の内容より彼女と話をしていること自体に感動していた。
電話に最後まで付き合ってくれた彼女、優しい。
中学二年生の初秋の出来事であった。

あれから四十年の月日が経ち、彼女は今どうしているだろうとふと思ったりする。
僕と同様、相当年をとっているはずだ。
でも、初恋はあっさり終わってしまった。
彼女は僕以外に好きな人がいたのだ。
「好き」と言えないまま振られてしまった。
それを知った僕は愕然とした……。
失恋の経験をしたことがなかったので、どうしていいか分からなかった。
そんな頃、深夜放送を聞くようになった。

深夜放送から聞こえてくるレモンちゃん[1]の優しい声に癒されていた。

そして、失恋した人は僕だけでなく世の中には一杯いることを知り、なんだかほっとした。

そして、高校に入り、セカンドラブ。

やはり、振られてしまうのだが……。

（注1）レモンちゃん。落合恵子さん。
当時のラジオ、文化放送の「セイ！ヤング」のパーソナリティ。若者に絶大な人気を誇っていた。現在、作家として活躍している。

井上君、君は立派だ！

高校生活が終わろうとしている夕暮れ迫る学校の放課後。

いつものようにくだらない話で三人が盛り上がっていたとき、やにわに井上は言った。

「もう来年で俺ら卒業だろう。俺、ほら浅田美代子に似た山田英子さんが好きなんだ」

「そうか井上は山田英子さんが好きなのか」と純は言う。

そして、今度は俺がさらに続け、「卒業したらもう言えなくなっちゃうぞ。人生は一回しかない、これは告白するしかないぞ」

「そうだよな、俺、今まで女の子に告白したこと一回もないんだ。今告白するしかない」

「そうだそうだ、告白しろ。井上聡、俺らが応援するから」

純と俺は声を揃えて言った。

俺（コミーこと小見山悠）と純と井上は高校三年生、三年F組の三アホトリオと言われていた。クラスの成績はいつもビリを争っていたからだ。四十六人中俺が四十五番、純が四十四番、井上が四十三番であった。毎回この順位は殆ど変らない。ちなみに四十六番はバイク事故で一年留年した林だ。彼は殆ど学校に来ないので、実質俺たち三人がビリを争っていたのだ。

しかし、類は友を呼ぶ。この三人は仲が良かった。何故かいつも一緒であった。それだけでなんか楽しかったのだ。

そんな三人もいよいよ来年卒業式である。このまま卒業してしまうのはなんか残念のような気がした。その一つは三人とも彼女が出来なかったということもある。そんなおり井上がカミングアウトしたのであった。俺たちは即、井上を応援しようと作戦会議を行う為いつもの公園にやってきた。

俺は言った。「井上、彼女と話したことはないのか？」

「高校二年生から一緒のクラスだったけど一度も話したことはない」井上は素直に吐露する。本当に井上は素直でいい奴だ。

「そうか話したことはないのか、まずは仲良くなってからではないと難しいかもしれないぞ」と俺。

そんな様子をみていた純がいきなり提案した。

「井上、どうする、いきなり告《こく》るか」

「……ちょっと待て、ドキドキしてきたぞ。俺そんな勇気やっぱりでないよ」

「バカ、何言ってんだよ、来年卒業してしまうんだぞ。そしたらもう一生会えなくなって後悔してしまうぞ。俺たちが見ていてあげるから頑張って告れ」

俺はなんか面白くなってきたので井上を煽った。

「そうだな、俺頑張るよ。今、この時は二度とないものな」

すると純が「よし、じゃあ俺今から英子さんを呼びに行ってくるよ。まだ、掃除当番で学校に居ると思うから」

「え、今からかよ。まだ心の準備が全然できてないよ、俺。いきなり連れてきても何て言っていいか分からないよ」

「思い立ったが吉日と言うではないか。当たって砕けろ。砕け散ってしまえ井上。絶対うまくいくよ」。俺はいい加減なことを言って井上をけしかける。

「純、英子さんを呼んできてくれ」

「お、分かった」と純は学校へ戻った。

「あ〜あ、行っちゃったよ本当に。俺どうしよう」と井上。

「平気だ、井上、君なら何とかなる」

「何とかなるなんていい加減なこというなよ」

「でも、山田英子さんって本当浅田美代子に似ていてかわいいよね。『赤い風船』も音程が狂うところかなんとも言えないね」

「英子さん、本当にかわいいよね」と井上。

なんて言っているうちに純が英子さんを連れてやって来た。

純は公園の入り口の所に英子さんを残して我々の所にやって来た。

「連れてきたぞ井上。頑張れ、応援しているからな」

井上は緊張して青ざめている。「俺本当に行くのか。告らなくてはいけないか」

「何言っているのだ、井上。このチャンスを逃したら一生ないかもしれないぞ。永遠に童貞で終わってしまうぞ」と俺がけしかける。

井上は空を見上げて気持ちを落ち着け、そして、意を決していきなり走って行った。

見送った純が、

「井上行っちゃったよ。大丈夫か」

「分からないどうなるか、俺らがドキドキするね」

井上は英子さんに近づき何か話しだした。するとものの数分でこちらに向かって走ってきた。英子さんは学校に引き返しているようである。

井上が近づいてきたので俺と純は「どうだった？」と聞いた。

「駄目だった、他に好きな人がいるんだって。俺振られちゃったよう」

「そうか駄目だったか。でも俺と純はしっかり見届けたぞ。立派だ。良くぞ言った。偉いぞ、井上、偉い！　偉い！」

泣き出しそうな井上は小さい声で言った。「俺、本当に立派か？　偉いか？　でもこの泣きたい気持ちは一体何だ」

「泣きたければ泣け、俺も純も一緒に泣いてやるぞ」

井上は赤子のように大きな声で泣き出した。「俺振られちゃったよ〜」それにつられて俺と純も一緒に泣き出した。その泣き声は青空に吸い込まれていった。

パーティー

枯葉散るキャンパス。歩くたびにサクサクと音がする。振り返るとそこにはただ風があるだけ。なんて昔流行ったフォークソングを思い出してしまう。

もうこの大学を卒業してから三十五年は経つ。キャンパス内は当時の面影が全くない。近代的な校舎になってしまっている。校舎の裏にいかにも片手間に作られたようなバラックの部室は跡形もなくなっている。時が経つのはまったく早いものである。めまいすら感じてしまう。

コミーは、大学のキャンパスを歩くのはこれで最後という思いでやってきた。昨年、失業し就職活動がうまくいかず、切羽詰まっている時、ふと自分の辿ってきた時間、場所が気になってこの大学のキャンパスに足を踏み入れたのだ。

目の前にある立派な建物。今は図書館や学食になっているようである。コミーは三十五年前のことを思い出していた。学校を卒業して就職してからのことは良く覚えていないのだが、不思議にこの学校でバカをやっていたことは鮮明に覚えている。不思議なものだ。

今は三十五年前の文化の日である。校内では華やかに文化祭がとり行われている。地元の人ならず、学生たちの知り合いや親族が続々やって来ている。

この時、コミーは大学一年生。ある演劇部に所属していた。毎年この演劇部と軽音楽部が合同で、この二十一番教室を借り切っていてライブスハウスを催していた。軽音楽部はフォーク、ロック、ジャズと様々なジャンルを演奏する。コミーの所属する演劇部ではコントや小演劇を演じていたのである。もちろん飲食もできる。カレーを中心にコーヒー等ソフトドリンクも揃えている。ステージの設営から買い出しまですべて学生の責任で行うのでかなり大変なことであった。一日の売り上げも十万、二十万ということなのでかなりのイベントである。この時、コミーは記録係であった。いわゆる写真を撮り、文化祭が終わった後部員に見せ、焼き増しなどをすることであった。文化祭は、当日より終わったあとの方が大変な仕事だ。

今日は文化祭三日目、最終日である。最終日のお楽しみはなんていってもダンスパーティーがある。ダンスといっても適当に体を動かしているだけであるのだが……。ダンスパーティーの最後の仕上げはチークタイムである。これには男たち盛り上がる。最高である。女子部員もこの日は特別の日のようであった。

いよいよ最終日の五時、最後のステージを演奏しているジャズバンドのブルービーチクインテットの面々ある。演奏もスタンダードの曲を中心にしっとりと聴かせてくれる。その中でもこのバンドの十八番「マスカレード」を演奏している。相変わらず良い音を出している。この曲が終わるといよいよ「さようなら」というオリジナルの曲をホール、キッチン、スタッフ等全員、自分の持ち場を離れ歌うのである。中には涙している先輩もいる。四年生はこれで最後の文化祭になるので気持ちは分かる。

司会の松本先輩が宣言する。

「いよいよこの文化祭も終わりです。みなさん本当にお疲れ様でした。それでは待ちに待ったダンスパーティーに移ります。それでは準備をお願いします」

と、言い終わるが早いか、みな早速準備にとりかかる。演奏はもちろん軽音楽部の面々。演劇部は照明を担当する。ミラーボールまで準備して万全の体制である。

するといきなり爆音とともにダンスパーティーが開始された。この時は先輩も後輩も男も女もない。エネルギーを発散させるだけである。ハードな曲、ソフトな曲からさまざまな曲が演奏されているなかコミーは密かに思いを寄せているリエ先輩を目で追っていた。すると軽音楽部の髭面の奴と楽しそうに踊っているのではないか。コミーは嫉妬で狂いそうになりながら体を動かしていた。

すると演奏が突然止み、静寂が漂う中、司会者の松本先輩が静かに言った。「ただ今からチークタイムです。軽音楽部のみなさんお願いします」。場内は一瞬緊張に包まれる。中には生唾を飲み込む奴もいる。コミー、再びリエ先輩を目で追う。するとリエ先輩は長い髪の毛をかき上げてまるで女優のようである。コミー、ボーっとして見とれている。するといきなり演奏が開始された。コミー、今がチャンスだ。リエ先輩にアタックしろ。今しかない、と内なる声が聞こえてきた。しかし躊躇するコミー。どうしようどうしようと迷っている間に、リエ先輩に近づく男一人、なにやらリエ先輩を誘っているようである。コミーは心で叫んだ「リエ先輩、あんな奴断れ、断ってくれ～」という祈りも虚しくリエ先輩は承知してしまうのである。チークというのは男と女が抱き合い、とくに股間すらくっつけてしまう時もあるダンスである。男にとっては、特にもてない男にはこのチャンを逃したら一生いい思いはできないというくらいである。コミー、再び嫉妬の渦に巻き込まれ地団太踏んでいると先輩の飯塚さんが「コミー君、踊ろうといってきた」。え、飯塚先輩が何故。この先輩は先輩づらして好きではなかったのである。リエ先輩と同期であるが月とスッポンだ。しかし、飯塚先輩の強引な誘いにコミー断れなかった。コミーは飯塚先輩の顔の向こうに見えるリエ先輩をずっと追っかけていた。でも、でもである、飯塚先輩の豊満な胸や股間が当たる度にコミーの体は熱く膨張してしまうのであった。

コミーの青春　―屋台千円生活が終わった理由―

会社の帰り道、ぽつりぽつりと大粒の雨が降ってきた。降ってきたと思ったら、あっという間にドシャ降りになった。私は焦って駆け出すが雨の勢いに為す術がなく、一旦、煙草屋の軒下で雨宿りすることにした。

雨足は激しくなるばかりだ。そんな雨をボーっと見ていると、雨にけぶった風景の中に屋台のおでん屋らしきものが浮かんでくる。こんな所におでん屋がでているなんて、今までまったく意識したことがない。よく見ると幸い雨が吹き込まないように屋台の上からシートで覆っている。ここで待っていても仕方がないので、私はここで夕立をやり過ごすことにした。

私はハンカチで頭を覆い雨の中を飛び出した。向こうに見えるおでん屋まで一気に走る。それでも結構濡れて屋台に到着。屋台に入ると雨に濡れた髪などをハンカチで拭きながらおやじの顔を見ると。はて、何処かで見たことのあるような顔だ。背は高くて猫背、痩せ細った体躯、白髪頭、頬は落ち込んで目はぎょろりとしている。「誰だったけなあ。誰だったけなあ。何処かであったことがあるような」。私は冷や酒をちびりちびりと飲みながら思いだしている。だし汁がたっぷりと染み込んだはんぺんを食べた瞬間ふと思い出した。あのおやじだ。それは学生時代よく通っていた屋台のおやじにそっくりである。今はうろ覚えだが確かにあのおやじに似ている。

そういえばあのおやじには随分世話になった。私は大好きなおでんをつつきながら、おやじとの出来事を思い出していた。


三十年以上も前、私がまだ東武東上線上板橋に住んでいた頃の話である。私がこの町で暮らしたのは一九七〇年代の後半で、まだ昭和の香りを色濃く残していた時代である。

そんな時代に私は密度の濃い青春時代を過ごしていた。

大学一年が終わる春休み、大学寮を出てこの町に引っ越してきた。この町には同じ大学の演劇部の先輩たち、軽音楽部、ギター部などの先輩、友人がたくさん住んでいる。初めての独り暮らしになるのでどんな生活になるのか若干の不安はあったが、それ以上にこれからの生活にわくわくしていた。

私のアパートは上板橋駅前の商店街をつっきり川越街道を渡る。すると間もなく住宅街が広がる。

近くには小さな川が流れており三月下旬には桜が満開になる。そして四月になり桜が散りはじめると、その小さな川面には散った桜がぷかぷか浮かんでおり、なんともいえぬ情緒を醸し出していた。そんな風景が私は好きだった。

アパートは四畳半一間。ガスあり、風呂なし、トイレは共同で家賃は一万二千円。

実家からは学費、アパート代以外若干の援助はあったものの遊興費（映画、演劇、飲み代など）はアルバイトで賄っていた。


夕陽も沈み、辺りが薄暗くなってくると、白髪の痩せこけた老人が、重たそうな屋台を引いてえっちらやってくる。場所は商店街の終わりそうな場所。老人はおもむろに開店の準備を始める。


演劇部の東田先輩はいつの間にか私のアパートに居座ってしまっている。自分の下宿に帰ればいいものを、何故か私の家に居座って出ていかないのだ。当時の大学のクラブはまだ、厳然としたヒエラルキーが残っており先輩には逆らえない雰囲気があった。特に東田先輩、身長はさほど大きくないが、頑丈なからだつきで、以前空手をやっていたという。

気の弱い私には「出ていってくれ」とは決して言えなかった。どこか気が合うところもあったのだろう。

今は春休み。私たちは日雇いのアルバイトがないときは全く暇であった。アルバイトはバスの誘導。始発から最終まで、夜の十時過ぎに終わるので非常に長い時間のバイトである。バイト代は一日八千円以上になり当時のバイト代としては破格の報酬だった。それも、とっぱらい、その日にお金が貰えるので非常に嬉しかった。お金が無くなるとバイトに行っていたものだった。

そういうことで、お金はそれなりにあり、暇でもあるという状況であった。勉強でもすれば良いが、そんな気持ちはさらさらない。私たちは夜になると酒を飲みだし、朝方まで飲んでいるのだ。そのような状況なので夕方になるまで下宿でウダウダしているのである。

窓から西日が差し込む私の下宿。焼酎の空き瓶、乾き物の袋、ポテトチップスの破片、柿の種など宴会の残滓が残る中で、東田先輩と私は狭い部屋の中ですることもなく上半身裸、パンツのままゴロゴロしている。

四浪の東田先輩、パンツの中に手をつっこみ、尻をかきながら言う。

「腹減ったコミー。なんか食べるものないのか」

「ないっすよ。何にも、ないっすよ。いや、あった。パンの耳があります。そこのパンの耳でもかじっていてください」

パンの耳とは、サンドイッチを作るときに余る食パンの周りにある固い部分だ。町のパン屋さんが山盛り三十円で売っていたので。金欠に陥ったとき助かったものだ。

このパンの耳、明星チャルメラなどの即席ラーメンのスープにつけて食べると絶妙にうまい。金がないときにはお勧めである。

コミーとは私、小見山の愛称である。まあ、小見山というよりコミーと言った方が、言いやすいだけだ。

東田先輩が言う。

「コミー、暇だ」

「俺のせいではありませんよ。そんな暇ならそこのプレイボーイでも見ていてください。それとも平凡パンチにしますか」

東田先輩、ぺらぺら雑誌をめくりだす。すると、

「コミーちょっと来い」

「何ですか?」

「このモデル、アンダーヘアーが見えていないか?」

「あっ、すげー、見えていますね確かに。ちょっと貸してくださいよ」

「ダメだ。俺が見ているのだ」

「この本、俺のですよ」

「俺は『先輩』、君は『後輩』だろ」

「そんなこと関係ありません。私の部屋に居座って何を言っているんですか」

と言って私は雑誌をひったくろうとする。先輩も雑誌を引っ張る。俺もさらに強く引っ張る。

すると、ビリっと音がして破れてしまった。

「あーあ、ちょうど良い所が破けて見えなくなったじゃないですか。どうしてくれるんですか先輩」

「まあ、良いではないか形あるものはいつか無くなる。これは真理だ」

なんてバカなことをしているうちに、陽も傾いてくる。

「陽も沈みそうだ。そろそろ行くぞ」

東田先輩が待ちに待ったように言う。

行くところは決まっている。例のおでん屋の屋台だ。そろそろ仕込みも終わり開店している頃だ。

私たち二人は薄暗い町中を、いそいそとおでん屋に向かって歩き出す。予想どおり屋台は仕込みも終わり開店したばかりのようだ。

陽は沈んでいるとはいえ、まっとうな人はまだ薄暗いうちから酒を酌み交わす人なんていない。屋台には誰一人張り付いていない。

二人は屋台の縁に立つ。

おやじが木の蓋を持ち上げる。すると中から湯気とともに香しい臭いが狭い空間に充満する。私たちはおでん鍋の中を覗き込む。何とも胃に染み入るような香りが鼻孔をくすぐる。大根、しらたき、がんも、昆布、こんにゃく、薩摩揚げ、はんぺん、おでんの王道といえるような種が鍋から溢れでんばかりに踊っている。

おでん種たちは美味しそうな汁に浸って、我々に注文されるのを待っているようである。

「おやじ酒、ぬる燗で。それから大根、昆布、しらたき、タコは高いからいらない」

東田先輩は矢継ぎ早に注文する。私も慌てて注文する。

「へい、お待ち」

おやじ、頃合いを見計らって鍋の中のアルミ製の燗付け器を取り出し、私たちの前においてあるガラスのコップの中に溢れんばかりに酒をつぐ。それにしてもこのおやじ体が悪いのか。酒を注ぐ手が震えている。

東田先輩、唇をグラスに近づけ、ぬる燗をグビリと飲む。

「うめー、空きっ腹に燗酒は効くなー、腹の中に沁み通ってゆくようだよ。ところでコミー、おでんの中で一番偉いのはなんだか分かるか?」

私もお酒をぐいって飲んで、

「おでんに偉いも偉くないもないすよ。おいしいかおいしくないかに決まっているじゃないですか」

「コミー、甘い。君には哲学がない」

この先輩、元来地頭が良いうえ知識が膨大にある。何てたって医学部をめざし四年間も勉強したのだから半端な知識でない。その雑学は目を見張るものがあった。

「おでんに哲学なんていらないすよ」

「いや、賤しくも演劇を志そうとしている人は哲学がなくてはいかん。劇団『天井桟敷』の寺山修司、『状況劇場（紅《あか》テント）』の唐十郎、『黒テント』の佐藤信もちゃんと哲学がある、良く分からないが、つかこうへいは分かりやすくて面白い」

「私、演劇を志していませんから。ただ、面白そうだからやっているのです。それで先輩はおでんの中で一番偉いのは何ですか」

「よくぞ聞いてくれたコミー。俺は嬉しい。あの『おそ松くん』のチビ太も喜ぶぞ」

少し酔いが回ってきたのか先輩はハイになってきた。

「パンパカパーン。おでんランキング第一位。『でーこん』。大根じゃないよ。江戸っ子は『でーこん』と言うのだ」

「先輩は江戸っ子じゃなく、れっきとした群馬っ子ではないですか」

「まあ、気にしないでくれコミー」

「パンパカパーン。おでんランキング最下位。それは蛸。タコでーす」

「いきなり最下位ですか。それも答えを自分から言っちゃったよ。タコおいしいじゃないですか、俺好きですよ。あ、分かったこの店で一番高いからですか？　二百円もするんですよね。それで最下位？」

「はずれだよ。コミー。大根とタコの違いってなんだ。コミー？」

「違いって、野菜と魚介類の違いでしょ」

「分かってないな。おでん種としてだよ。大根は出汁《だし》を吸い、タコは出汁を出すだけだ」

「大根はほかのおでん種の全てのエキスを吸い取ってしまう。なので美味しさの塊になる。しかしだな、タコはエキスだすだけだからうまみは断然デーコンが一番上。分かったかコミー」

　私も負けてはいない、議論は先輩も後輩も関係ない。

「でもそれは先輩の見解でしょう。タコはまわりの人（種）に貢献しているんだから、立派じゃないですか。そういう意味では昆布が一番ですよ」

　なんてどうでもいいような議論をしているうちに、軽音楽部の連中がやって来た。杉下先輩と私の同期の井上だ。二人とも寄ると触ると音楽とかジャズの話ばかりしている。なので連中と一緒になるのはいいのだが、マニアックな話ばかりするのでついていけない。しかし私の音楽の素養はこの連中から仕入れているようなものだった。

杉下先輩が俺たちを発見して、

「やっぱしここに居た。ここに居ると思ったよ。いつから来ているんだ?」

「開店からずっといるよ」

「また、くだらない話をしてるのだろう」

「ああ、くだらない、くだらない話こそ人生の真実があるのだ」

また、東田先輩、訳の分からないことを言って煙に巻いている。

「まあいい。飲め」

杉下先輩と井上に酒を進める。

「おやじおでん。あれ、おやじが居ない。どこへ行ったのだ。屋台を放っておいて何してるんだ」

と私がぶつぶつ言っていると、おやじは「すまんすまん」と咳込みながらやってきた。

「おやじ、平気か?　どこか悪いんじゃないか?」

「平気だ、何でもない」

と言いながら、青黒い顔をしている。

私はさして気にせず、他愛ない会話に戻っていった。

今度はギター部がやってきた。ギター部の連中はもう既にどこかで飲んできたらしく出来上がっている。

この上板橋界隈には仲間が一杯生息している。町を歩いているとどこかで見慣れた顔にでくわす。何故この町に同じ大学の文化部の連中が集まってきたのか定かではない。

軽音楽部の二人は我々と関係なく早速音楽談義に花を咲かせている。「コルトレーン」っていいね。とか「マイルス・デイヴィス」って格好いいねなんて楽しそうに話している。

その間、こんにゃく、薩摩揚げ、イカ巻き等次々、食べて飲んでいる。おやじはそんな俺たちを見ていて楽しそうにしている。

しかし、外気に触れて飲む酒は格別のものである。良い心持ちになってきた。

もちろんこの屋台にトイレなんてないので、路地裏で用を足してしまう。

時間ももう夜の九時過ぎだ。

「コミー」

誰か私を呼ぶ。振り向くとギター部の石山先輩だ。石山先輩かなり酔っぱらっている。

石山先輩は早速私に絡みだした。

「コミー。一体君は演劇に何を求めているんだ」

「何って、そんなこと考えたことはないすよ」

このギター部の石山先輩と飲むと議論をふっかけてくるか、説教する癖がある。そんな話に付き合っていられない私は、強引に「女体の神秘」についてに話題を変えてしまった。案の定、東田先輩が割り込んできた。この手の話題、東田先輩の独壇場だ。私はこれ以上石山先輩と絡むのが嫌であったのでホッとしていた。

既に屋台は満席。途中でサラリーマンも来たので、二、三人はみ出している。はみ出したメンバーは路肩に座って飲んでいる。

酔客たちは遠慮なく注文する。「おやじ、酒おかわり、つみれ、昆布、餃子巻、つゆを追加してくれ」。年寄りの親父、誰が何を食べて酒を何杯飲んだか覚えていないだろう。

東田先輩、会話に飽きたのか、満腹まで食べたのか分からないがいきなり帰ろうと言い出した。

「おやじ。あいそ」

おやじは誰が何を何個食べたか、酒を何杯飲んだか覚えていないもんだから目を白黒させている。

おやじはおもむろに左手を算盤代わりにして、算盤の玉を弾くふりを始めた。

「うーん、うーん。一人千円」

俺と先輩。「ぷ、やった」

後できた軽音楽部、ギター部の連中もたいして食べていないのに同じ千円だ。

この店、何時きても一人千円だ。どれだけ飲み食いしても千円だ。

しかし、おやじ、これで商売になっているのか。


いつものように部活が終った後のことである。いきつけの焼鳥屋「花ちゃん」でしこたま飲み、仲間十人位で例のおでん屋になだれ込んだ。

「おやじ来たぞ」

おやじちょっと嬉しそうな顔をして、

「今頃来てももう何もないよ、ほら」

おやじ、鍋の中を見せる。

「あるじゃないか、まっくろの汁が、あと昆布のちぎれたやつや、大根、はんぺんなど、もはや形がなくなった破片が漂っているじゃないか。これでいい。あと酒さえあれば。汁は出汁の宝庫になっているので一番おいしい」

一人一杯ずつ酒を飲み、汁も鍋の底が見えるくらい飲む。

「おやじうまいぞ、満足。あいそして」

おやじいつものように、左手を算盤代わりにする。

「う～ん。千円」

おやじの勝ち。

でもおやじ、咳込むことが多くなっているような気がする。やはりどこか体が悪いのではないのだろうか。


おやじ体調が悪化してきたのだろうか、毎日来られなくなってきた。たまに来ておやじと他愛ない会話をしていたのだが、明らかに元気がなくなってきた。そして、とうとう来なくなった。


それから数日後。店が出ていた。おやじ復活したのかと思い中を覗いてみた。

すると、そこには背の小さな老婆がぽつねんとしていた。老婆は主人の連れ合いであったらしい。

老婆の話だと、おやじは持病が悪化して、店を出せなくなりしばらくして亡くなったそうだ。

「そんなに悪いのに何故、屋台を引いていたんですか?」

老婆が言う。

「学生さんが毎日きてくれて美味しい、美味しいといってくれるので、それが嬉しくて店をだしていた」のだという。

この夫婦は子供を亡くしていた。

それで自分の子供をみているように接してくれていたのだ。

我々だけいつも千円であったのはこのおやじの心根であった。

「おやじすまん」

毎日のように甘えてしまった。

老婆が言う。

「感謝するのは私だよ。連れ合いが亡くなる直前まで頑張れたのはみんながきてくれたからだ」

その老婆は屋台をたくましく切り盛りしていた。

そんな理由で私の屋台千円生活は終わったのだ。

その老婆は電卓を片手に我々が食べた物をしっかりと計算していた。

でもそのほうが我々も嬉しい。頑張れ老婆。

あれから三十年以上経っている。

もう老婆もとっくにあの世だろうなーと、私は雨上がりの空を見上げながら、しみじみ思っていた。

Bye, Bye, Bye, Bye　my love

「恋はするものでなく、落ちるもの」と良くいったものだ。まさにFall in Love。

この物語はコミーの大学時の話である。


それは某大学に入学後、五月の連休も終わり演劇部、劇団〝ノン〟に入団して一ヶ月位経った頃であろうか。

東京の練馬区にある本校、レンガ教室四〇二番教室。ここが劇団〝ノン〟の練習拠点である。

四階建て校舎の一番端の部屋だ。ここだと大きな声を出しても文句がこないのでここにしていると後に先輩から聞いた。コミーたち一、二年生は、演劇の練習のため教養学部がある東松山キャンパスから一時間以上かけてこの本校にやってくる。コミーたち一年生は、早めに来て稽古場を作るのが役割になっている。作るといっても、机を黒板がある方にぴたりと寄せ、後方に稽古場のスペースを作るだけである。その後、演技練習で床に座っても汚れないように雑巾がけをする。これが一年生の役割であった。

稽古場の準備が終わると練習時間まで各自発声練習、柔軟体操等をする。次に教室の窓から顔出し腹式呼吸で「あー、あっ、あっ、あっ、あっ」と発声訓練をする。これは声をお腹から出すための訓練である。役者やアナウンサーの基本的な訓練でもある。この時間、学内のキャンパスを歩くと「あー、あー」等聞こえてくるのは、演劇部だけでなく、放送研究会など発声を伴う部活の生徒が練習を始めた、ということであるので、慣れてくると特別おかしな風景でもない。

中には「あえいうえおあお、かけきくけこかこ」など早口ことばの練習している団員もいる。コミーは、初めての体験なので毎日新鮮で、これだけでも楽しかった。

練習開始は十九時からなのでそろそろ、先輩たちがやってくる。

「おはようございます」「おはよー」という男女入り混じった声がしてくる。

夜なのに「おはよう」とはこれいかに？　最初は戸惑っていたコミーだったが、次第に劇団、お店とか、芸能関係では夜中でも「おはようございます」というのが慣例になっているようだ。とにかく、早くいた人に対して、「お早いですね頑張っていますね、お互いがんばりましょう」という意味があるようである。コミーも最初は違和感があったが次第に慣れていった。なんか自分たちは特別なことをしているのではないかというちょっと優越感に似た気持ちも有った。コミー、その「おはようございます」という声に反応した。それは初めて聞く声であった。

振り向くコミー。ハートの形をした心臓が胸から飛び出してしまった。まぎれもなくFall in Love 恋に落ちた瞬間であった。

美しい、途方もなく美しい先輩。石原梨枝子先輩（以降、リエ先輩）三年生の登場であった。すらっとした身長、外国の女優のような彫りの深い顔立ち、目元はぱっちり、まさに完璧。劇団〝ノン〟に入って心から良かったと、涙がでるほど嬉しい瞬間だった。

コミー、中学生で初めて体験した初恋の時も、高校の時のセカンドラブもこれほどの衝撃はなかった。

特にリエ先輩の口もとの黒子《ほくろ》が止め処なくそそった。

練習が始まる前のミーティングで、望山幹事長（三年生）がリエ先輩の紹介をしてくれた。コミーはただただ、リエ先輩に見とれてしまい、「コミー！　なに見とれているのだ」と幹事長に注意される始末だった。コミー、演劇の練習が俄然楽しくなってきた。練習というよりリエ先輩に会うために練習に来ているようなものであった。リエ先輩がずっと演劇部に顔を出せなかったのは病気をしていたからとのこと。後に分かったことであるが。そんなこと関係なくリエ先輩がいるときは嬉しく舞い上がり、居ないときは元気ない。コミーは完全に恋のキューピットに翻弄されていた。しかし、リエ先輩には直接話しかけられず遠くから見ているだけのコミー、それだけで満足だった。そんなことで、ますます恋の炎が燃え上がっていった。

それが、夏合宿の打ち上げで、とんでもない恥ずかしい事件?を起こしてしまった。

今、思い返しても、「わー」っと言って、走って逃げだしたい衝動に駆られる。


コミーは、酒飲んでは様々な失敗しているが、今回の件は今思い出しても「わー」っと言って走り出したい気分になる一件であった。しかし、この失敗のおかげで急速に仲間たちに溶け込んでいったのは皮肉なことであろうか。それは大学一年の夏、合宿での打ち上げのこと。劇団〝ノン〟は毎年夏休みになると、長野県や群馬県の民宿を借り七泊八日の合宿をする。

合宿の主な目的は左記のようなことである。
一、基礎体力作りや発声訓練、早口、エチュードなどの演技に関する稽古。
二、演目の練習
毎年十一月初旬に行う文化祭で演じる出し物の練習である。三つのグループになり、それぞれに分かれて練習する。

今回の出し物は、つかこうへい作の「生涯」。コミー主役。でかつ初めての演技。ど素人以上にど素人。

そのほかには太宰治作の「カチカチ山」、コントのような小品である。さらに飯沢匡作の「夜の笑い」。

三、定期公演の演目決め
十二月に行う定期公演の演目を最終日に投票により決める。
あらかじめ三作品がノミネートされている。
ノミネート作品は、
「ハロー・ヒーロ」佐藤信作
「夜明けに消えた」矢代静一作
「スパイものがたり」別役実作
当時の人気な劇作家たちである。

結構ハードなスケジュールである。
今回は長野県信濃川が近くに流れる静かな民宿。合宿地としては最高である。
劇団〝ノン〟の執行部は毎年、良くこのような合宿地を探してくるものである。
一日の流れは、

六：〇〇　起床し大広間で体操。
七：〇〇　ご飯は食べ放題。
八：三〇　基礎練習（腹筋、発声練習、早口言葉、エチュード等）。
十：〇〇　文化祭の出し物の練習。
十二：〇〇　食事。
十三：〇〇　再度、文化際の練習。
十六：〇〇　あるテーマに基づいた討論会のようなもの。今思うとディベイトの訓練である。
十七：〇〇　食事、風呂など。
二十：〇〇　定期公演の演目を決めるための分析と討論。最終日に投票により決める。
二十一：〇〇　自由時間。
二十二：〇〇　消灯。

なんともハードなスケジュールであるが、規則正しい生活なので太って合宿を終える部員もいる。

この合宿最終日の一日前に成果発表を行う。要するに文化祭でやる演目の成果発表である。場所はこの民宿の広間を借りて行う。

観客は自分たち以外には、この民宿の家族（子供たち含む）、劇団のＯＢ、軽音楽部、ギター部などの幹部が陣中見舞いということで一升瓶を片手にやってくる。芝居もさることながら、この夜の宴会がメインかもしれない。この手土産の酒が宴会での「一気飲み用」の酒に変わる。この「一気飲み」。当時は大学のコンパ等で普通に行われており、急性アルコール中毒で救急車の出動件数が増えたため今は当然のことながら中止になっている。

このようなスケジュールで、合宿も順調に進んでいく。


発表会当日も無事？　終了。

コミーは、ろくにセリフも入らず、呂律も回らなくヘロヘロになり終了。つかこうへいのセリフは役者泣かせ。セリフの量もさることながら、七五調でもなく喋りづらいことこの上ない。それでなくてもど素人以上に素人のコミー。殆どプロンプター（舞台袖でセリフを教える人）の厄介になりやっと終わったという感じだった。二度と役者はやるものかと思ったコミー。

しかし、この芝居が終わった後コミーのことを褒めてくれた女性のOBがいた。それは「照れ笑いで、ごまかしたり、途中で投げ出さず、最後までやりとおしたことです」

コミー、この言葉に涙が出る程感激した。最後まで演って良かったと心から思った瞬間だった。

そしてその夜、いよいよ合宿の打ち上げ。

コミー、この席上で、とんでもない失態を演じてしまったのである。

まずは幹事長の挨拶。

「一週間にわたる長い合宿お疲れ様でした。

最後の公演も無事終わりました。今日は無礼講ですので大いに飲んで食べてください」

続いてOB、軽音楽部、ギター部の来賓の挨拶。

そして乾杯！

みんなおいしそうに飲みだす。最初は和気藹々で談笑していたりしていたのだったが、OBの合図によるさる儀式が始まった。それは劇団〝ノン〟伝統の儀式。恐怖の「一気飲み」が始まるということだった。

他の一年生は新人歓迎会の時、この儀式の洗礼にあったが、ちょっと遅れて入団したコミー、今日、この洗礼をすることになった。

「一気飲み」の儀式とは、丼になみなみ注がれた日本酒を、周りが歌う黒田節の音頭に合わせて一息で飲むしきたりのことだ。

先輩たちは、ある程度要領を得ているので、適当にこぼしながら飲み干すらしいのだが、純粋なコミー一息で飲み干してしまった。観客席から拍手万来。大喜びのコミー。丼を片手に高々手を上げ観客の声援に応えるのだった。

その時、あの一目惚れしてしまったリエ先輩が嬉しそうに拍手をしているのを見てしまったのだ。その瞬間、コミーの心臓は高鳴りだした。興奮は最高潮。そんな時、観客席から、「もう一杯コール」が沸き起こった。こうなったら後に引けないコミー。

またまた、なみなみ注がれた丼酒を飲み干してしまったのである。満足げに、そしてふらふらになって席に戻ると、目の前に超美人が居た。リエ先輩である。

コミー、席に戻ったのでなく本能のままにリエ先輩の目の前の席に座ってしまった。リエ先輩も嫌な顔をしないで一年生のコミーにビールを注いでくれる。

「コミー君、大丈夫二杯も飲んで。格好良かったわよ」とリップサービスでも超嬉しいコミー。

しかるに飲めば飲むほど、リエ先輩、天使のように素敵になってくる。コミー只今、天国を彷徨っている。つまり、コミー、完全に泥酔状態。

後で聞いた話であるが、泥酔してしまったコミーは、この後もリエ先輩から離れようとはせず「リエさん、リエさん、リエコさん、好きです」と連呼して部屋まで行きそうになり、リエ先輩を相当困らせたようである。

そんなことで、翌日、完全に二日酔いになり大広間の真ん中でへばっていた。翌日は合宿を引き払う日であったのでみんなで掃除をする日。それなのに、コミー、大広間でくたくたになり寝そべっていた。


そんなコミーをみて四年生の女の先輩、鋭い声で怒声が飛ぶ。

「もう、宴会は終わったのよ、いい加減にしなさい！」

何か周りから冷たい視線を感じていたのである。その理由が少しずつ明らかになっていく。その事実を知るたびの恐怖。その都度、落ち込むコミー。

翌日以降、先輩たちに会う度に「リエコさん、リエコさん」とちゃかされたコミーであった。

その後もますます恋心を募らせたコミー。夏休みも終わる頃、会いたい気持ちを抑えることができず。アパートへ訪問する決心した。本当は会いたいという理由だけであるが、実際にあった時にどぎまぎしないように言い訳を考えた。その結果、「夏合宿での失態をなんとか謝りたい」という口実を考え出した。ただ、本当にその気持ちもあったのも事実である。

実際行動をするとなると不安が体中駆け巡る。どうするコミー。止めるか行くか。と逡巡した結果、いきなり着替えて家を飛び出した。リエ先輩のアパートはコミーの最寄り駅から一つ先の駅なので、ものの二十分もあれば到着する。

そして、とうとうリエ先輩のアパートに来てしまった。

今、リエ先輩の部屋の前。不安と緊張で最高潮になっている。夏休みでの合宿の出来事にもめげず、来てしまったコミー。今ならまさにストーカーであろう。

大学時代のコミー、高校時代と違ってやたら積極的な人に変わっていた。しかし、いざ扉の前に立ってしまうと心臓が早鐘のように鳴りだした。ノックしようと右手を上げるが、すぐ降ろしてしまい勇気がでない。しばらく悩み再度、ノックをしようとする。がダメだ。どうしても一歩がでない。そんなこんなで十五分位佇んでいると、突然中から声がしてきた。その時、扉が開いた。

コミー、大びっくり。

扉の中から見慣れぬ女性がでてきたと思ったら、リエ先輩の声。

「じゃー、またね」と、友人を送り出す。

その友人は、私の方見て「何この人」というような顔をする。それに呼応するようにリエ先輩は私の方を見る。

「あれ、コミー君じゃないの。どうしたの、こんなところで」

「……いや、夏の合宿のことを謝りたくてきてしまいました」

コミー、本当はリエ先輩に会いたいだけだったのに良く言う。

リエ先輩が言う。

「そう、よく来てくれたわね」と、何の疑いもなく部屋に入れてくれたリエ先輩。コミーは大感激。リエ先輩の部屋を見回すとなんと質素なことか。机とテーブルがある位で生活に不要と思われるものは何もない。本当に質素な部屋である。女性の部屋のイメージはピンク系で飾られ、ぬいぐるみ等が所狭しと置いてあり、壁にはポスターが一面貼ってあるイメージであったのでちょっと拍子抜けでもあった。だが、そんなところがますます好きになるコミー。

「コミー君。コーヒーで良い」

「ハイ、何でも良いです……。砂糖もミルクもいりません」

リエ先輩はコーヒーをテーブルの上に置くと自分も座った。

リエ先輩と相対することになった。しかし、コミーはまともにリエ先輩の顔を見ることが出来ず、下を向きもじもじしていた。するとリエ先輩から話しかけてくれた。

「合宿の時は凄かったわね。あんなに飲まされたら、誰でもおかしくなっちゃうわよね」

と、コミーをかばってくれた。

「あの時は、本当にすいませんでした。まったく覚えていないのです」

「そう、覚えていないの、残念だわ。ちょっと嬉しかったのよ」

えっ、コミー、しまったと思った。

「いいや、まったく覚えていないというわけではないのですが……」

段々、声が小さくなっていく。

しばらく沈黙が続く。窓の外は真っ青。蝉の声が聞こえる。

涼やかな風が部屋に入り込む。

コミー、意を決したように言う。

「リエさん。好きです。僕と付き合ってください」

「え、本当なの、私で良ければ是非お願いします」

コミー、「やったー」

心の中で、教会の鐘が鳴り仲間たちが祝福してくれている。そのあと、近くの公園にいきリエ先輩とデートをする。ベンチに腰掛ける。もう夕陽が沈みかけていて、あたりは薄暗くなってきた。どこから集まってきたのか知らないが、周りのベンチでは恋人たちが愛をささやいている。おもわずコミー、リエ先輩の肩を抱き、自分の方に引き寄せる。

その時。

「コミー、ごめん私これから行くところがあるの。また来てね」

とリエ先輩の声がした。

はっと、我に返るコミー。

コミー、ずっと妄想していたのである。

「すいません、突然お邪魔してしまって」

「いいのよ、また来てね」

とさわやかな声でリエ先輩は言ってくれた。

コミー、この日、人生の最高の日になった。

忘れもしない三十五年前の八月二十五日であった。

それから、たまにリエ先輩宅にお邪魔し、フォークソングを聞いたり、小説の話をしたり楽しい日が続いた。しかし二人の仲は最初と変わらず進展しなかった。そのうち、学校が始まりリエ先輩と会える日が少なくなり疎遠になっていった。四年生になり、リエ先輩は劇団に顔を出すことが少なくなっていたということもあった。早くも最初にリエ先輩の家に訪問してから一年経っていた。

一年後にとうとうリエ先輩とのデートの約束を果した。デートの場所は横浜。赤い靴、氷川丸、港の見える丘公園、山下公園の横浜である。

まだ、横浜スタジアムは無かった頃である。

コミー、大学二年生の一月。

リエ先輩は四年生になっていた。リエ先輩は今年の三月で卒業してしまう。コミーは焦った。早くしないとこのまま、なし崩しになって恋は終わってしまう。なんとかデートに誘い告白するのだ。

三十五年前は携帯電話などなかった。

当時のアパートには、呼び出し用のピンク電話が入り口付近に置いてあるところが多かった。各部屋には電話は設置されていないので共用の呼び出し電話である。そんな訳で、ピンク電話の近くの部屋にすんでいる人は大迷惑である。しかし、当時の人たちは親切に取り次いでくれた。

コミーが住んでいるアパートには電話は無く、大家さんに取り次いでもらっていたので、この電話を掛けることはできない。

仕方がないので駅近の電話ボックスに行き電話を掛けることにした。十円玉を入れダイヤルを回す。その度に心臓が高鳴ってくる。最後のダイヤルの前にいきなり受話器を置いてしまう。そして深呼吸。呼吸を整えて再びダイヤル。今度は三回ダイヤルしただけで受話器を置いてしまった。

どうしても勇気がでない。

コミー、深呼吸しながら考えた。受話器の途中に色々考えてしまうから、ドキドキが速くなってしまい絶えられなくなってしまうのだ。何も考えずダイヤルを回してしまえば良いのだ。

今度は一気にダイヤルした。

少したつと呼び出し音が聞こえてきた。繋がった。

絶えろ、コミー。日本の夜明けは近い。コミーのデートも近い。

ここで受話器を置いたら元の木阿弥になってしまうぞ。

自分に言い聞かせる。

目を瞑ってじっと耐える。

ガチャと音がするとともに、いきなり若い男の声がした。

コミー、間髪入れずに、しかもやや上ずった声で話した。

「もしもし、石原さんをお願いします」

「ちょっと待ってください」と、事務的な声。

男の人が受話器の置く音がする。遠くで「石原さーん、石原さーん電話ですよ」という声がした。更に遠い声で「ハーイすいません。今行きます」という声が聞こえてたかと思ったら、トントンと階段を降りてくる音がする。

やってくる、リエ先輩がやってくる。まさにリエ先輩の声だ。

コミー、超緊張する。

「もしもし、石原です」

コミーは平静を装いながら、

「コミーです。こんにちは」

リエ先輩、明るい声で、

「コミー君どうしたの」

コミー、心臓の高鳴りを押さえながら勇気を出して言った。

「……リエ先輩、もうすぐ卒業してしまうので、一度つきあって欲しくて電話しました」

リエ先輩、少し考えた後、

「良いわよ、何処へ行くの」

コミーには目算があった。それは、コミーの高校時代の友人が、横浜の山下公園にある氷川丸前の高級ホテルのグリルで料理人になるため修行している。

コックになるためには三年間ウェイターをやる必要があるというので、現在ウェイターをやっている。今の言葉でギャルソンと言うのかもしれない。その友人がフランス料理のフルコースを予約してくれたのだ。

「横浜はどうですか？　横浜に私の友人がウェイターしている店があるのでそこでフルコースを予約しています」

「フルコース？　フランス料理のフルコースって高くない？」

「友人のおかげで正規の三分の一位の値段で食べられます」

「じゃー、横浜にしようか」

と、リエ先輩の嬉しそうな声が聞こえた。

コミー、苦難の末とうとうやりました。一年越しで初デートの約束をしました。

コミー、受話器を置くや嬉しさ一杯、飛び跳ねてアパートに帰っていったのでした。

これが最初で最後のデートになるとは知らず……。

待ち合わせ場所は池袋東口、東武百貨店モニター前。

当時（一九八〇年代）、この場所は待ち合わせ場所の定番のスポットになっていた。

携帯電話がない時代待ち合わせは大変である。何らかの手違いで待ち合わせ場所を間違えたりすると連絡を取る方法がないので、大変いらいらすることになる。時には出会うこともなく終わってしまうこともある。

携帯電話はこの「待つ」という行為の不安感を確実に減少させた。いらいらが少なくなった反面、ドラマも少なくなった気がする。

コミーは一時間も前からきてそわそわしていた。

「こなかったらどうしよう。待ち合わせ時間を間違えてたらどうしよう」とか、いらぬ不安からくる妄想が頭の中を駆け巡っていた。

待ち合わせ時間の五分前、そんなコミーの不安をよそに、人ごみの中からリエ先輩が現れた。リエ先輩の格好、小豆色のコートを寒そうに着込んでいた。相変わらず女神のように素敵である。

「コミー君、待った」

「い、いえ全然待っていません」

コミー、緊張しきって何にも話せない。

その後、話はあまり盛り上がらないまま、横浜山下公園に向かった。

話が盛り上がらないというのは、つまらないというのではない、胸が一杯で何を話して良いかも分からなかったのである。

この頃、童貞のコミーどうしようもなく純情であった。

特にリエ先輩に会うとますます純情になってしまうのだ。

まだ、恋に恋する時代を抜け切っていなかったのかもしれない。


コミーとリエ先輩はぶらぶらと山下公園を歩いた。

コミーの頭の中には、この頃流行っていたユーミンの曲が流れていた。


氷川丸を横に見ながら赤い靴はいていた女の子像の前へやってきた。

すると、コミー、演劇部同期のナオが宴会でやる芸?を思い出しいきなりやった。

それは童謡「赤い靴」のパロディであった。どうしようもなく、くだらないネタであるがコミーは何故か大好きなネタである。

赤い靴　履いてたら　脱げた～
白い靴　履いてたら　また脱げた～

このどうしようもないネタを、ふりをつけた歌ったのである。

終わった瞬間、しまった、おもいきりスベッタと思い、リエ先輩の顔を覗きみる。すると、リエ先輩、にこにこして笑ってくれた。

なんとすばらしい先輩だ。笑顔が超素敵だ。

何故だがこのことがきっかけで話が弾むようになった。

リエ先輩は将来幼稚園の先生になりたいので、その為に教育学部に入ったとかを話してくれた。

そろそろ夕陽も沈み夕闇が迫ってくる。

二人は山下公園前の超有名なホテルのグリルに向かった。

窓の外には沈みいく夕陽が世界を赤く染め、その中に氷川丸の黒いシルエットが浮かび上がっている。

この時間帯は一日の中で一番幻想的で神秘的な雰囲気を醸し出す。

恋人たちはこんな雰囲気に魅入られ、最高の食事をしながら愛を語る、そんな至福の時間を過ごすのには最高のシチュエーションである。

しかし、コミーそれどころではなかった。楽しい至福の時間より苦しみが大きくなってしまった。それはコミー、フランス料理のフルコースを食べるのは生まれて初めてのこと。テーブルマナーでさえろくに分からない。

この前日、このホテルのグリルでウェイターをしている高校からの友人、ハルにテーブルマナーに関しての注意点を聞いた。それはマナーブックなどに書いて無いことばかりであった。フォーク、ナイフ等の使い方ではない。

ハルがいう重要な点とは以下のことだ。

一．食事のペースは遅い人に合わせる。これが一番重要らしい。
一緒に食事する人の最高のエチケットとのこと。

二．ナイフ、フォークを使うのが苦手な人は遠慮なくハシを依頼する。

三．ワインの試飲をするときは、通ぶらない。
知ったかぶりをすると、次々と高いワインを紹介されてしまうとのこと。ソムリエによって違うとは思うが。

四．タバコは食事中吸わない。匂いが強い葉巻は吸わない。

今は当然のことながら禁煙であると思われる。

三十五年前は職場でもタバコは吸い放題の時代であったので、それだけでもこのホテルの格式が分かる。

と、いうことだ。

このことはしっかり頭に入れて当日に臨んだ。

しかし、当日そんな甘いものではなかった。

高級ホテルに入るのも初めて、入り口からその格調の高さ、客層、全て豪華。とくに、学生の若造がこんなところに来ること自体間違っているようなそんな錯覚に陥る。

正直その雰囲気に圧倒されてしまった。

リエ先輩も初めてらしいが、コミーに任せて黙ってついてきている。

格調のあるエレベータを降りるといきなりグリル。

エレベータの外に店があり扉を開けて入っていくのではない。

エレベータを降りるといきなり店の一部である。

物腰が柔らかそうな支配人と思われる人に、予約していることを告げるとあるウェイターを呼んだ。このウェイターがコミーたちの担当らしい。

一卓のテーブルに担当が一人というわけではないだろうが、ワインや水がなくなりそうになるとすかさず注いでくれる。

このウェイター、暇?な時はずっとコミーたちのテーブルの少し後方にいて、監視されているような感じがした。

後で分かったことだが食事のペースをみていてくれて次の料理を出すタイミングを図ったり、困っていることがないかと気を配っていてくれているらしい。超一流の店は違うのだ。

ちょっと、思い出したが、かつて「王様のレストラン」というＴＶドラマをやっていた。そんな店のイメージをして頂けると雰囲気がなんとなく分かって頂けるかと思う。

そのウェイターがメニューを見せてくれる。

コミー、メニューを見てビックリ、内容もすごそうであるが、その値段にもビックリ。この食事代で二週間は生活出来る位の金額。

その時、ウェイターが言った。

「今日のメインは……と言って、料理の説明をしてくれた」

しかし、今は殆ど覚えていない。

うっすらと覚えている料理を書き出してみると。


前菜（？？？）

スープ（コンソメスープ（冷製））……これがやたらうまかった。良く覚えている。

副菜（？？？）

主菜（舌平目のムニエル）……おいしかったけど、ナイフとフォークでは食べづらかった。

デザート（果物とアイスクリーム）

コーヒー（エスプレッソコーヒー）

今日のメニューは決まっているとのことだ。友人のハルが気を聞かせて決めてくれていたのである。コミー、ホッとした瞬間であった。今だって、この値段のメニューを見れば決められない。参考として主菜・舌平目のムニエル三千円。三十五年前である。このフルコースの値段想像してみてほしい。三十五年前のこと。

担当のウェイターの入れ替わりにソムリエがやってきて、ワイングラスに少し注ぐ。

コミーが一口飲む。ソムリエ「これでどうですか?」と聞くと素直に「これでお願いします」と言った。

実の所、味は良く分からなかった。友人のハルの忠告を守っただけだ。

ここで別のワインを持ってきてもらうと、先ほど試飲したワインの料金も一本分請求されるとのことだ。

しかし、本当かどうかは分からない。

すくなくともこのような店に来る人は、お金のことなんて気にする人は少ないのだろう。貧乏人がくるところではないなとつくづく思う。特に貧乏学生が……。

リエ先輩も緊張していたのだろうかワインを一口で飲む。

すると、ウェイターがすかさずやってきてワインを注ぎ足してくれる。

まるでわんこそばのような状態になってあっという間に、一本、ワインが空いてしまった。

まだ、副菜を食べている途中だ。

すると、ウェイターがやってきてあるワインを差し出す。

「このワインはハル様からの差し入れです」

コミー、えっと思い、前方を見るとハルが別のテーブルのウェイターをしていた。

ハル、こちらに気が付くと、右手の親指を立て合図した。

コミー、なんかホッとして嬉しくなった。両手を頭の上で振って合図をしてしまった。

そんな自分に気が付くと、急に恥ずかしくなりまた、注いでくれたワインを飲み干した。

この時は素敵な彼女とワイン、料理、会話を楽しむ余裕もなく一刻も早くこの場所から逃げ出したい気分でもあった。

リエ先輩もそうだったかもしれない。

食事中、雲の中を漂っていたような感じでもあった。

実は素晴らしい料理もワインの味も良く覚えていないのだ。

会計はビックリするほど安かった。ハルが私のデートに気を聞かせてくれたのだ。有りがたいことだ。ハル感謝！

ハルとは高校時代の親友？　悪友でもあった。持つべきは真の友達としみじみ思う、コミーであった。

ホテルを出たコミーとリエ先輩はなんか落ち着きたかったのでマックに入った。

そこでハンバーガーを食べる、何故かホッとした気分になったのはコミーだけではなかったようだ。

コミーが言う。

「緊張して料理の味が良く分からなかったネ」

すると、

「私も」と言って、リエ先輩は笑ってくれた。いつみてもリエ先輩の笑顔は美しい。

赤ワインと白ワインを一本づつ飲み干した二人は、千鳥足で駅に向かった。

コミー、今がチャンスと思い手を繋ごうと思ったが、酔っていたのに勇気がでなかった。

どこまでも純情で意気地なしのコミーである。

しかし、コミー、重大なことを忘れていた。それは告白……。

このまま電車に乗って別れ別れになってしまったら今日の一日は何にもならない。

コミーとうとう決心した。

コミー、酔いで半分痺れた頭でリエ先輩に言った。

「リエさん、何処かの公園で酔いを醒まして帰りませんか」

リエ先輩は、

「いいわよ、そのかわり早めに帰りましょうね」
コミー、やったー、やりました。
二人は近場の公園に向かった。
辺り既に暗くなっていた。公園には水銀灯が煌々と輝いていた。
良く見ると、周りのベンチにはカップルが座って愛を確かめあっているのだ。
なんか声が聞こえてきそうであるが……。
コミーとリエ先輩、空いているベンチに腰を掛けた。
コミー今がチャンスなのだが声がでない。
なんか二人は重苦しい雰囲気になってきた。

沈黙は続く。一分、二分、五分、十分……。

コミー、声がでない。
しかし、チャンスは今しかない。頑張れコミー。
コミー、破れかぶれでついに言った。

「リエさん、キスしていいですか」

コミー、「好きです。付き合ってください」と言うところをいきなり「キスしていいですか」と、とんでもないことを言ってしまった。

これは公園の雰囲気が言わせたとしか思えない。絶対に！

リエ先輩は、

「えー、キス。まだ付き合ってもいないのに」

と、あっさりかわされてしまったコミー。

「じゃー付き合ってください。大好きです。リエさん」

リエ先輩しばらく沈黙したのち言った。

「少し考えさせてね。今日は楽しかった。ありがとう」

というと、リエ先輩は独りで駅に向かって行ったのであった。


そんなリエ先輩の後姿を呆然と見送るコミー。

眼からうっすらと涙が滲んでいた。

その反面、どこかやりとげた感もあったのも事実であったのだが……。

コミーは、そんなリエ先輩の後ろ姿をいつまでもいつまでも見送っていた。

これは遠まわしに振られたのだろうか……。

いくら考えてもコミーは、分からなかった。

ただ、茫然とその場所に佇むだけだった。

夜空には沢山の星がざわついていた。


その後、コミーがいないとき、リエ先輩から電話があった。

しかし、コミー、再度電話する気力が起こらなかった。

あれだけ好きだったリエ先輩に会いたいとも思わなくなっていたのだ。

それは完全に振られてしまうのが怖かったのかもしれない。

三十五年後の今考えても良く分からない。

でも当時のことを考えると未だ心が疼いてしまうのは何故だろうか？

まるで、心の中に愛の亡霊が住み着いていて、苦しくなるとその亡霊が心の表層に現れてコミーにやさしく微笑むのだ。その度に心が疼いてしまう。

疼く正体は悔恨の念から来るものかもしれない。

結果的に、なし崩しに終わらせてしまった自分の不甲斐なさに対する悔恨かもしれない。

最後のシーン。

卒業間際のリエ先輩の引っ越しの日がとうとうやってきた。

引っ越しの日は例の横浜デートの日に聞いていたのだ。

コミーはどうしても会いたいと思いリエ先輩の引っ越しの日にアパートにいった。そこは何度か訪ねたことがあり、今となっては懐かしい場所でもある。

リエ先輩のアパートに着いたときは、粗方片付き、後はトラックに乗って出発する段階になっていた。

コミーはトラックに乗り込もうとしているリエ先輩を見つけると足早に近づき言った。

「リエ先輩、きました」

「来てくれたんだコミー君、ありがとう」

コミーはリエ先輩が好きだったアリスのカセットを持ってきた。

コミー、少し沈黙の後、

「……これ最後に受け取ってください」

「……ありがとうコミー君……」

リエ先輩は受け取ると、

「もう時間がないの、ごめんね」と言ってトラックに乗り込んだ。

トラックは静かに出発した。

コミーは急に悲しくなり、トラックに追いつこうと走り出し「リエさ～ん！」、「リエさ～ん！」と泣きながら叫んだ。

コミー、ついに力尽きその場に倒れ込む。

その時、頭の中のレコードが急に回りだした。

その曲はアリスの「帰らざる日々」。

♪♪♪

Bye,Bye,Bye 私の貴方
Bye,Bye,Bye 私の心
Bye,Bye,Bye 私の命
Bye,Bye,Bye,Bye　my love
♪♪♪

第二章　社会人編

ダムは決壊した！　―大腸過敏症だった頃―

第一話　ダムは決壊してしまった！

通勤途中の車内でこんな広告を見た。

「水なしで飲める下痢止め」

当時、このような薬があったら、快適な通勤が約束されたのに……。

今から三十年も前の社会人になりたての頃のことであった。電車に乗るたびに必ずトイレに行きたくなるのだ。それも「大」。特に朝の通勤電車では必ずであった。何かに呪われたように必ず便意が襲ってくる。なので出勤時間の三十分前には必ず会社に着くように家を出ていた。

そう、この日もそうであった。外は五月晴れ。そんな爽やかな天候と裏腹に、腹は嵐に見舞われていた。額からは冷や汗が出てくる。あと七駅、六駅、五駅などとカウントダウンをしても便意の早さに追いついていけない。

もう限界だ、とにかく次に止まった駅のトイレに駆け込みすっきりさせなくては。

今、満員電車の中。人ごみを掻き分け、

「おります～～～」

などと絶叫しながらやっとの思いで電車の外へ飛び降りる。

そして、尻をよじりながらトイレへ向かう。

そうなんだ。みなさんが予想したとおり朝のトイレは行列が出来る。

特に男子トイレの中の「大」の部屋は三つ位で、必ず一つは故障中の張り紙が貼ってある。

順番は五番目位。「小」と違って「大」は待ち時間が長い。


一人十分として五十分、いや三十分位か……。

絶対持ちこたえることはできない。肛門のダムが決壊して大変なことになってしまう。

とりあえず、タバコを吸ってごまかす。

二本、三本、あーまた、強烈な便意が……と、そのとき、隣の列にいた禿げた中年のオヤジがトイレの戸をドンドンと叩き始めた。

オヤジはしゃがれた声で、

「まだかー、早くしてくれー」

ドンドン、ドンドンと催促のノックを立て続けに行う。

中から「トントン」と軽い音が聞こえる。「まだまだ」と言っているようにも聞こえる。

オヤジは性懲りも無くまた叩く。

中から「トントン」

そのうち、オヤジ絶叫しながらトイレを蹴り始めた。

「早くーーーーーー！　でてくれー。お願いだ、頼む！」

そのとき、勢いよくドアが開き、中から怖いお兄さんがでてきた。

「うるせーなーバカオヤジ！」

と凄んでくる、オヤジは「ゴメン、ゴメン、メンゴ、メンゴ」などと謝りながらさりげなくトイレに入ってしまった。

怖いお兄さんはトイレの扉を思い切り蹴飛ばし去っていった。

俺はというと、この恐怖でちびりそうになりながらも、もはや限界を感じてきていた。

脇の下から、背中から、冷や汗が流れ始めた。

まだ、前には三人はいる。絶対間に合わない。

よし、次の駅だ。

いま、決断しなければ大変なことになる。

また、尻をよじりながら電車に乗り次の駅に向かった。

長いこと長いこと、このようなシチュエーションになると一分が一時間以上にも感じてしまう。


電車の中では、ただひたすら耐え抜く。

やっと次の駅に着いた。

またまた、尻をよじりながらトイレに向かう。小さな駅であったせいか、幸いトイレには一人しか待ち人はおらずそう待たなくて済みそうだ。

中から水が流れる音、ズボンを上げる音。ドアが開いた。

よし、あと一人。

心のなかでファンファーレがなり観客席から声援が、

「あと一人。あと一人！！！」

やべー。一瞬、括約筋が緩んでしまった。その瞬間「ぷー」と頼りない音が聞こえた。

でも、本体はまだ無事だ。間に合った。

そのとき、トイレの中から水が流れる音。ズボンを上げる音。

よし、間に合う。

もう、ドアが開く前からベルトを外し、チャックを下ろし。準備万端。

ドアが開き、若いアンチャンがでてきた。よし、間に合った。

中に入りドアを閉めるのももどかしくズボン、パンツを下ろしている途中にやってしまった。

とうとうダムは決壊した……。

ズボン、パンツを下ろしている途中に、とうとうダムは決壊してしまったのだ。

第二話　ダム決壊後の苦悩

もちろん、万有引力の法則に従い本体は真下に落下した。だが、ここで本当のダムと同じで最初は液状のものがチョロチョロ、次第に水かさが増し、やがて鉄砲水となって押し寄せる、その後、本体は土石流になって勢いよく押し流される。

しかし、その土石流は、下ろしかけのブルーのパンツが見事にキャッチしている。

たちまちブルーのパンツに?が盛り上がる。

「あーあー、やっちまっただ」

もうとっくに会社の就業時間は過ぎている。連絡どころではなかった。

こんな思いしてまで会社にいくことは、

「もー嫌だ！！」

大声で叫ぶ。

会社を辞めよう、もうどうでもいい。

汚物まみれのパンツを見ながら放心状態であった俺。呆然自失の俺。

当時の駅の便所（トイレなんてしゃれた名前は想像できない）、は今みたいに綺麗でなく、もう性器等の落書きはひどいは、汚いは、くさいは、エロ雑誌は捨ててあるは（何に使ったのだ！）もうとんでもない個室であった。もちろん、洋式ではなく和式。五分もしゃがんでいると、ひざがガくがくしてきて震えだし、その状態を維持できなくなるのだ。昔は用を足すにも根性が必要であった。

そんな、こんなで当時、駅のトイレには入りたくなかったが……。

しばらくすると、少しは冷静さを取り戻した。

何も考えられず、淡々とパンツをそっと脱ぎ便器の中に本体を流し、水を流しながらパンツを洗う。


そして、汚れた尻を拭こうとしたとき、驚愕の事実に気がついたのだ！

紙が、なーい！

どこにも、なーい！

天井にも、なーい！

どうしようもなーい！


人生の最大の難関に直面してしまった。

しかし今回はダムの決壊が心配でないので、問題解決案をじっくり練ることができる。便意は襲ってこない。

「もう、会社なんてどうでもいい」という気分になっている。

今、大切なのは私の「尻」、プリプリの「尻」。汚物にまみれた「尻」。

第三話　問題解決案

まず、問題に直面したときは冷静になり事実を知る。

次に、持っている物の確認。この時、ポケットにはティッシュは無い。ティッシュ梱包のビニールしかない。ハンカチはない。いつも持っているのにこんなときに限って持っていない。

カバンの中、ノートがある。うーむ。これは使えない。いや、揉んでやわらかくすれば使えないこともない。

次、トイレの中、もちろんトイレットペーパはない。

ガビガビになったエロ雑誌。ぞっとした。今確認できるのはこんなところか。

以上のことを確認した後、問題解決案の検討だ。

問題解決案一

中から大声で叫ぶ。もしくは両隣にいると思われる人にノックしてヘルプする。

↓家にいるときは中から大声で叫ぶ。誰かがいれば「しょうがないねー」なんていいながら紙を差し入れてくれる。一人の時はどうどうと、トイレから出て紙を持ってこられる。

但し、始末をする前、所謂汚れたままの状態で歩くと尻が非常にキモイ。でも、当時の俺は羞恥心の塊であったのでこんなこと到底できないし、思いもよらなかった。

問題解決案二
↓カバンの中のノートを破いて試みる。
実際やろうとしたが紙質が固すぎて不向きであることを知る。多分、きれいに拭き取ることは難しい。

問題解決案三
↓手で拭いた後洗う。結構実効性があるかもしれない。
子供の頃歌った「みっちゃんみちみち……のみっちゃんの歌？」を思い出してしまった。

問題解決案四
そうだ、財布の中があった。
千円札三枚。コンビニレシート一枚。
↓千円札を使った場合。もう、お金として使えないか。そんなことはない。汚れていてもお金はお金。このお札を使う勇気があるかどうかだ。モラルの問題もあるが……。

第四話　結末は如何に？

もうトイレに入って小一時間位にもなるのだろうか、とうとう、「神（紙）は我を見放した！」という心境になった。

問題解決には、積極的解決方法、他人に依存する方法、そのまま受け入れる方法がある。

それは、問題を解決しないとどうしようもない事態になるかを想定して判断する。

この場合は、当然のように積極的に問題を解決するしかない。

何故なら、汚れたお尻、汚れたパンツをどう始末をつけるかが問題である。

緊急で、重要な課題はもちろん汚れたお尻。そう、「紙が無いのだ、紙だ、紙だ、紙だ～」と唱えていてもなんの解決にもならない。

ぼんやりとあらかた汚れがおちているパンツを見ているうちに閃いた。紙（神）の啓示があったのだ。

紙にこだわる必要はない!!

そう、その濡れているパンツを絞ってお尻を拭けば綺麗になる。

水はふんだんにある。トイレの水を流せば綺麗な水がでてくる。

方針は決まったパンツを再び綺麗に洗い、さらに綺麗にして絞るそしてお尻をぬぐう。

決壊後のお尻は部分的にだけでなく全体的に汚れていたので、このパンツで拭く方法は大正解であった。

パンツの汚れといっても所詮自分の分身、愛しく思いさえすれ汚くはない。やっとお尻は綺麗になった。良かったー。

幸いズボンまでのダム被害はなかった。これも良かった。

そう、ここまでくれば後の問題はパンツの始末だ。

ムキになって洗い、おおかた汚れも落ち、匂いもわずかになった。よし、大丈夫だ、っていってもこれを再びはいたわけではない。

パンツをぎゅうぎゅうに絞り水が落ちなくなることを確認し、とりあえずバッグにしまった。トイレを出たあと駅構内の売店で何かを買ってビニール袋を貰い、その中にパンツをしまう寸法だ。

完璧、これで問題は解決した！　万歳。

と、思いきや会社のことを思いだしてしまった。あの時は感情の赴《おもむ》くままに、「辞めたい」等と短絡的なことを口走ってしまったが、「おそそ」をして会社に無断欠勤し辞めたなんて家族、親戚、お友達に知られたらもう生きては行かれぬ。

末代までの恥になってしまう。

そこで、最後の問題解決。

腹をくくれば怖くない。

会社にまず電話（当時携帯電話は無かったので駅構内の赤電話）で、上長に理由を言って謝った。

コメツキバッタのようにペコペコと電話口で謝った。上長は「分かった」とだけ言ってお咎めはなかった。


これで全て「うん〇問題」は解決したのだ。


空は青い、気持ち良い、最高だ!!

その後の俺の人生で「運《うん》」はついたかは定かではない。

そして、あの切迫した状況はいまや全て忘れていたと思われたが……。


最後に。

もちろんズボンの下にはパンツなるものは、はいていない。

ちん&タマタマが直接ズボンと接触してちょっと気持ち良いことを知る。

錨（いかり）

夫、五十歳。妻、子供二人。妻は専業主婦、子供は大学三年生と高校三年生。二人とも女子だ。

妻と結婚して二十五年経つ。中堅の商社に勤めている。妻と子供たちのため必死に働いてきた。子供二人が社会人になるまではと必死に働いているのである。

ところがある日のこと体が重く歩くのも億劫になってきた。会社に向おうと駅まで歩いているうちにとうとう歩けなくなってしまったのである。男はそんな状態に驚いた。自分の体は一体どうなってしまったのだろう。足も頭も体中重石が乗っかった感じになってしまっている。それでも、男は家族のために会社に行こうと思い直し歩こうとした。何とか右足が一歩、そして左足。ゆっくりゆっくり歩いていった。駅までくると冷や汗が吹き出し、体中震えだした。男はこのままではまずいと思い会社に電話した。

「すいません。体がだるいので今日休ませて下さい」

すると上司は、

「何言っているんだね、体がだるいくらいで休まれてはたまらんよ。私なんていつもだるいが頑張っているんだよ。熱はないんだろ、今日社長が出席する会議があるんだ、君、その会議の資料を作ってあるのか。とにかく会社に一回来なさい。良いね」

男は「はい」と言ってそのままベンチに腰を掛けじっとしていた。やはり体が重く動くのもだるい。どうしたのだ。このままではまずいと思い家に電話した。

「もしもし、私だけど……」

「あ、お父さんどうしたの。そうそう今日の帰りソースを買って来て！　もうすぐ切れちゃうの。いい…」

「俺、体が重くてしょうがないんだ、動けなくなりそうだ」

「何バカなこと言ってるの。子供たちだってまだまだ学生でお金かかるんだから一生懸命働いて呉れなくては困るじゃないの。いいわね。帰りにソースを買って来るの忘れないでね。あ、そうそうソースはウスターソースで銘柄はカメモでなくてスピッツのものよ、分かった？」

妻はそう言うと一方的に電話を切った。

男はベンチで体中の重さに耐えながらじっと耐えてきた。もう、会社に行く気力もなくなっているし、家に帰る気分もなくなっていた。ベンチの前をサラリーマン、ＯＬ、学生たちが忙しそうに往来している。

「彼らは何のためにあんなに忙しそうにしているんだろう。体は重くないのだろうか？」とふと疑問になった。

ベンチに座って小一時間が経った。男は相変わらずベンチに座ったままである。足元を見ると靴の先からなんかチェーンのようなものが無数に伸びている。しかし、男はそれに気づかない。しんどそうにじっと目を瞑っている。やがて昼も過ぎ陽も少しづつ沈み始めている。男は何を考えているのだろうか。

男の足の先から伸びているチェーンは無数にあった。小さいのやら大きいのやら千差万別である。さらにチェーンの先を追っていくとそこには錨《いかり》が道路に食い込んでいる。さらに目を凝らして見ていると錨の食い込みはさらに激しくなっているようである。男の体が重く歩けなくなった理由はこの錨にあったのだ。

しばらくすると男はそのチェーンに気づき、更にその先にある錨に気づいた。男にはその錨が見えるようになったようである。良く見るとそれぞれの錨の表面になんか文字が描いてある。そこには「家族、妻、子供、学費、会社、上司、同僚等」男の取り巻く環境が事細かく描かれ、それが錨になり男を蝕んでいたのだ。男はぎょっとしてその碇たちを見据え思った。

「この錨が歩こうとしても歩けない理由なのか？　いつからこんなに一杯錨を引きずって歩い

ているのだろうか？」

男は冷静に振りかえってみた。

小学校、中学校、高校、大学とそれなりの出来事はあったが、概ね楽しい人生を歩んできている。体が重いなんて感じたことはなかった。楽しい、楽しい学生時代であった。恋愛は？　失恋も一杯したが今では良い思い出。結婚は……。確かに新婚生活の時はよかったがだんだん重荷になってきたようだ。仕事もまだまだ大丈夫であったので必死であった。少々の重荷を感じてきてはいたがでもまだまだ初心者であった。それで子供ができた時はどうか？　それは掛値なしに嬉しかったがそれと同時に責任もずっしりと感じた。でもそれはそれで当たり前と思い頑張ってきた。

錨を良く見ると家族、妻、子供、会社などはそれほど大きくはなかった。それより巨大な碇が無数に転がっており、道にがっちりと食い込んでいた。

それらの錨には「良き夫、良き妻でなければならない。有能。金持ち。成功。一流」そんな言葉が描いてある錨が見つかった。男は気が付いた。俺を重くして歩けなくなる原因を作っているのはこの「ねばならない」「一流でなくてはならない」「立派でなくてはならない」という錨たちの仕業だったのだ。

そんなことを気付いた男はふと体が軽くなった。

良き夫でなくてもよい、出世しなくてもよい、ちゃんと生きていればそれで良いのだ。そんな、「ねばならない」鎖を大きな斧で断ち切ると男は力強い足取りで歩き出した。

ボス

ボスは俺に命令した。

「ここにある学習ビデオ全てコピーしてこい」

「ボス、これは著作権法でコピーを禁止されているものです」

「そんなこと分かっている。それを分かってコピーしてこいって言っているんだ。駅前にビデオをコピーしてくれる店があるだろう。金のことは気にするな」

「このビデオは一巻五万円もするもので全六巻あるから全部で三十万円ですよ、それをコピーしてこいと……」

「小見山、やるのかやらないのか！」

ボスは眉間に皺を寄せ語調もだんだん強くなっていった。

「このビデオはある研修会社の知りあいが特別に貸してくれたものです。それにボスの言っていることは犯罪ですよ」

小見山、絞るようにやっと言った。

するとボスは常務の四ノ宮を呼んだ。四ノ宮はただちにやってきた。

「四ノ宮君、このビデオコピーしてくれないか」

四ノ宮は、「分かりました」と事もなげに言った。

俺は手を握り締め悔しさにうち震えていた。

そんな俺をボスは一喝した。

「まだそんなところにいたのか、とっとと部屋から立ち去れ」

ドアを出た小見山はこれで良かったのかと深いため息をついた。


小見山は研修担当の課長を任されている。課長といっても小見山一人である。まだ百人規模の会社では担当は一人で十分であった。

その後、数ヶ月たったのち再びボスに呼ばれた。小見山は何事かとびくびくしながら会長室に入っていった。そこには常務の四ノ宮もいた。四ノ宮はボスがゴルフのパター練習をしている横に立っている。いや、よく見るとゴルフボールを定位置に置いているのである。ボスはボールを打つ、残念ながらボールは穴のすぐ横をすり抜けていってしまった。ボスは悔しそうにボールの行方を追う。

小見山が声をかけると、

「なんだ、お前来ていたのか、来たら来たと言え」

それからしばらくボスは俺の存在を無視してパター練習をしていた。そのうち、打ち飽きたのだろうか俺にソファーに座るように促した。常務の四ノ宮も目の前に座った。

会長は優しく俺に声をかけた。会長が優しく声をかけるときは大抵理不尽な要求をする時が多い。俺は危険な予感がした。

するとボスはタバコを吸いながら言った。

「小見山、今度、国の研修と出向に関する助成金が出るのを知っているか」

「はい、知っています。今研修の方は計画書を書いて今度の会議で提出する予定です」

「研修費の助成金はいくら位だ」

「大体一年で五百万円位の予定です。部長から新人まで全て参加してもらおうと思っています」

それを聞いたボスは、

「お前の限界はその程度か」

「ボス、意味が分かりません。どういうことですか?」

「出向の助成金は考えなかったのか?」

「今、うちの会社、出向者はいないので助成金の対象にならないので検討をしていません」

ボスは隣の四ノ宮に言った。

「この男はこの程度の男だ。経営者になれない」

四ノ宮、会長に相槌をうつと俺に話し出した。

「わが社には子会社があるのを知っているだろう」

「勿論です」

「それで、本社の管理職以外の社員を全員出向ということにしてしまえばいいだけだ。出向に関する助成金一人一日八千円になる、それが一年分だ。いくらになると思う」

「分かりません」

「ざっと計算して二千万円だ。小見山君、今の時代間接部門と言ったって、のほほんとしていてはいけないんだよ。金を稼ぐことを考えなさい」

小見山、二の句が継げなかった。明らかに犯罪、これは詐欺行為である。

今度は会長が有無を言わさない口調で言った。

「研修なんてどうでもいい。四、五百万円のはした金なんかより二千万円ゲットしろ。分かったな小見山」

「……」

「分かったらさっさとこの部屋から出ていけ。そして今の話をどんどん進めろ」

俺はしばらくその場でじっとしていた。動けなかったのである。

するとボスは言った。

「犯罪は嫌かね。ばれなければ犯罪ではないのだよ。犯罪は公になった時から犯罪になるんだ。分かったか」

俺はやはり、何も返す言葉がなくそこに座ったままであった。

クビ切りの果てに

「この時のためにお前を雇ったんだよ。存分にやってくれ」

「存分にやってくれってあいつらは、俺が必死になって仲間に入れた奴らではないか」

「だからお前以外にはいないのだ。お前だったら奴らも喜んで命を投げ出すだろう」

「……」

「お前がやらなければ誰がやるのだ。お前がやれ！」

親分に逆らったら穏やかな生活どころか命まで危ない。家に帰れば女房と小さな子供たちが腹を空かせてまっているのだ。

俺は悩みに悩んだ末決断した。

「……分かった俺がやる」

案の定、奴らは俺のために喜んで命を落としてくれた。

「ちきしょう」

俺が涙に呉れていると後方から優しい言葉がかかった。親分からだ。

「良くやった褒美をとらす。顔を上げろ」

顔を上げた瞬間、俺の首は胴体から離れ空中に飛んでいった。刀で一刀両断にされたのだ。胴体が遠く小さくなり、意識が薄れる中俺は思った。

「こういうことだったのか！」


会社の会議室の一隅。

俺は女子社員A子と面談している。今春、新卒採用した女子社員だ。入社前研修、入社式、新人研修と心血注いで育ててきた。

A子は悔し涙を滲ませながら途切れ途切れに話す。

「会社に言われて辞めるのではありません。課長に入社前からも、入社後も世話になったので辞めることにしました。本当に残念で仕方がありません。お世話になりました」

俺も涙を流していた。そして、しばらく沈黙が続いた後、やっと俺は言葉をかけた。

「すまないことになった。最高の条件で退社出来るよう会社に折衝するから……」

その後、十数名の社員に退職勧奨を行い、会社を辞めて貰った。納得しない者もいたが、私の顔をたててくれた人が大半であった。

それから数ヶ月後、ほぼ予定どおり人員整理が終了したある日、俺は社長から呼び出された。成果を出したので表彰でもしてくれるのかと思い、いそいそ出かけた。すると、社長は俺をソファーまで丁寧に案内し静かに言った。

「明日から来なくて良いです」

退職勧奨《かんしょう》・その時

自動小銃を片手にタッタッタッタッタと階段を軽快に駆け上がっていく。目指すは十階の会長室だ。今頃、会長の高崎は秘書室の美女たちのお尻をさわったり、セクハラまがいのことを権力を笠にやりたい放題やっているに違いない。

「ゆるせない！　天に変わっておやじ仮面が天誅を下す」

一階から十階まで一気に駆けあがったおやじ仮面こと俺は、十階に着く頃はさすがに体中で息をしている。会長室の扉の前に着いた。俺は息をゆっくり吸い込み呼吸を整える。

部屋の中からキャーキャー黄色い嬌声が聞こえてくる。

「おのれ会社を私物化してやりたい放題やりやがって！　許さん！」

怒りを腹の底に十分ため、落ち着いて、そしてドアをゆっくり開ける。

一瞬部屋は静まりかえる。俺は不適にもにやりと笑う。

会長、突然のことに面食らい「何だ貴様は！」怒声を張り上げる。

その瞬間、俺は自動小銃を会長に向け「これは今まで狡猾にも不当にクビキリされた社員の怨念であり、天罰だ！　これでも食らえ！」

自動小銃が火を噴く。たちまち会長の高崎は蜂の巣になり、体中から血が吹き出している。

秘書たちはあまりの惨劇を目の当たりにしてわなわな震えているばかりだ。中には失禁してしまう者もいる。

そんな光景をバックに、俺は会長室から意気揚々と出ていった。

その時、遙か遠い暗闇の彼方から「それで良いのか？　満足か？」という声が聞こえた。俺はビックリして目が覚めた。体中びっしょりと寝汗をかいていた。

退職勧奨を受けてからこんな夢を何度も見ている。精神を病みはじめているのかもしれない。

二〇〇八年九月。リーマンショックが発生し世界同時不況に突入、ソフト業界にも直撃した。

当時、私が所属していた会社は中堅のソフト会社だった。多くのソフト業界は受託のシステム開発もあるが、基本的には技術者を月単位で契約し製造メーカー等に常駐させて、その利鞘を稼ぐ商売である。現在ある大手のソフト会社もそのようにして大きくなってきた。当時はプログラマーが不足していたので誰でも（？）良かった時代でもあった。それが、リーマンショック以降、社員は常駐先から自社に戻されことになる。

利益のない社員を大量に抱えてしまうと、弱小企業はあっと言う間に赤字が膨らみ倒産する危機に陥ってしまう。

そこで、会社はどうするかというと、そのような社員を安易にリストラ（要するに首切り）して会社の赤字を少なくする方策を考える。

丁度、派遣切りなど社会的にも大問題になっていた時期である。

実際には私（小見山）が所属していた企業及びグループ会社も大量のリストラをしてきた。と、同時に内定取り消しもかなりあった。

今考えると、社会的な問題にならなかったことが不思議である。余程、経営者の能力が高いのかもしれない。

私は人事・採用担当であったのでグループ子会社の社員に何人も辞めて貰った。苦労して採用した社員を、今度は辞めて貰うことになるので、まさしく断腸の思いである。

ある女性社員とはお互い泣きながら話した記憶がある。

この社員とは、合同会社説明会からの付き合いなので何とも言い難い気分だった。しかし、この女性社員は私の顔を立ててくれたようだった。

企業というのは本当にむごいことをするものだ。もちろん私を含めて。

みんな、我が身がかわいいのだ……。

正月明けから何か嫌な予感を感じていた。いつも本社から送ってくる人事情報や、ちょっとしたことでも連絡をしてくる飲み仲間でもある本社管理部長の近藤が、明らかに私を避けている。それは話し方や、仕草で容易に分かることである。

ちょうどこの頃、この近藤部長が私の直接の部下である須山さんに退職勧奨をしていたので、それで私を避けているのかと思っていた。多分、須山さんは私が直接採用にタッチしていたので良く解釈すれば私に気を配ってくれたのかとも思う。この時、私のスタンスは須山さんの立場からの発言であった。しかし実情は違っていた。正月明けの役員会議で早々に私のリストラが決まっていたらしい。理由は技術者を大量にリストラしたので、それに比例して間接要因を少なくするという趣旨であった。要するに全体の社員数を踏まえ、技術者と間接部門の比率を大量リストラ前と同じにしろということだ。このことはグループ会社の総師であり、全グループのオーナーである高崎会長の命令なので絶対だ。各グループの社長、役員といえども所謂「やとわれ」なので何一つ権限がないといってよい。

要するに天からの命令に忠実に従うのが使命なのだ。このような環境なため、彼らは社員を見ていない、会長の顔色だけを見ている。

その日、唐突に社長の柳川に呼び出された。場所は一般の社員がめったに利用することがない役員室。時は一月の末日。

柳川社長は退職勧奨という言葉は使わず、何とか私にその意図を分からせようとしていた。私は概ね理解していたが、もの凄く歯がゆさを感じていた。

「率直に言えばいいじゃないか」と心の中でつぶやいた。

「これは退職勧奨ですね」と聞いたが、柳川社長は言葉を濁し明確な言葉を口にすることはなかった。

多分、私が人事経験を長い間やっていたので揚げ足を取られて「退職強要」などで訴えられたらたまらないと思ったのだろう。

「次回までに進退をよく考えて今度話を聞かせてください」と社長は言った。

これは一体退職勧奨なのか、なんなのか分からないうちに面談は終了した。


この後の私は熟考した。

ネットや書籍で調査。参考になる資料が山ほどあった。労働基準監督署、労働組合、弁護士などに相談することを考えた。そこでまず某労働組合に相談した。色々親身になって教えてくれたが結局労働組合には相談したままで、それ以上の進展はなかった。

色々検討した結果、私は「退職勧奨には応じない」という結論に達した。


一月末の退職勧奨を受けてから考えたこと。まず、退職勧奨であることを明確にすること。

この退職勧奨は、会社が赤字に苦しみ、やむを得ないという状況ではない。ただ単にオーナー会社からの命令による数字合わせだ。実際は黒字だ。社員の首を切っても利益は確保する。技術者も何割も辞めている。いや、辞めさせている。通常は早期退職ということで、退職金等を割り増しにしたり、社員に誠意ある対応をとるのが普通と思われるが、実際にそういう企業は中小企業の内どの位あるのであろうか？　甚だ疑問である。

また、この会社の場合、退職金も、自己都合退職と会社都合退職では格段の差になるので、なにも分からない社員に対しては、けむに巻いて、会社側に有利な自己都合にしてしまうのだ。

私は、バブルの時に買った家の住宅ローンも山のように残っている。今は絶対に辞められない。次回の回答までに腹を括らなくてはならない。

恐れていたことは退職勧奨を断ったことによる報復人事だ。降格、給与減額、出向、転籍。露骨にはできないが、法律に抵触しない限り本人が嫌がることを退職するまで何でもやる。それがこの会社だ！

しかし、腹は括ったものの眠れない日々が続く。第一回の退職勧奨を受けてから約三週間経ったあと、再び柳川社長から役員室に呼ばれた。第一回目と同じ場所だ。前回と違うところは通常応接セットの客側に座らせるのであるが、今回は反対側に座らせた。たぶん、この面談を録音するため、ＩＣレコーダー等を録音しやすいところに置いたためと思われる。

普通は退職勧奨をされる側が準備するのであるが何故社長が？　法廷闘争等にもちこまれた

時の対応かと思うが、そこまで気が回るなら、同じくらい社員のことを考えてやってくれと思った。

もちろんこの行動は意味不明。多分、私がユニオンに駆け込んだり、弁護士を通しての訴訟になった時の準備だと思われるが、なんとも腰が引けた対応であろう。当然私も懐にＩＣレコーダを忍ばせスタンバイをしている。

話は始まった。

柳川社長がおもむろに口を開いた。

「第一回目から三週間位経つが、あれから考えてきてくれたかね？」

「はい」

「どういう結論になりましたか？」

「まず確認したいのですが、前回の面談は退職勧奨と捉えて宜しいですか？」

「それで良いです」

柳川社長は絶対に「退職勧奨」という言葉は使わない。

「それではこちらからの要望です。まず、退職勧奨であること、そして、退職に関する条件を文書にして提示ください」

「信用出来ないのかな？」

「入社するときも雇用契約書を提示するではないですか。退職する時も当然提示して貰うのは自然ですよね」

沈黙。長く感じたが実際は数十秒程度か。

「……君の退職の条件を聞かせてくれないか？」

「ふつう、退職金を上乗せするとか、何らかの退職する人に誠意ある対応を考えますよね」

「……」

「私も住宅ローンなど抱えておりますので、向こう半年間の生活を保証してくれれば良いです」

「……それは出来ない。就業規則の退職金規程どおりだ」

きっぱり私は言った。

「それでは、退職勧奨を拒否します」

「分かった、これ以上話しても平行線になるばかりだ。これで退職勧奨は一切しない」

「良く聞く話ですが報復人事はありますよね？」

「通常と同じように評価します」

ということは確実に降格、減俸するということだ。

この日を境に役員、部長から執拗な嫌がらせが始まった。

それは一般社員には決して分からないように。

今まで私の主だった業務が、突然別の部署のメンバーがやるようになった。私には全然知らされず、石川取締役営業部長から指示がでていた。私は管理本部所属なのだが、この部門の役員は飾りなので実権は山中取締技術部長、石川取締役営業部長が握っている。

社長はただひたすら「いい人」を演じている。

このことを知ったのは、業務課長井課長からだった。長井課長と私は飲み友達でもあり、普段から仲が良いのですぐ知らせてくれた。このことを聞いた私は当惑し、無性に腹が立った。

その石川取締役営業部長に、

「裏で私の仕事を干すような動きがあるのですが、どういうことですか?」

というメールを送った。

石川取締役営業部長は、このメールを友人である長井課長にもBCCで送っていた。もちろん石川取締役営業部長からは返信はない。

石川取締役営業部長は長井課長にこのメールを転送した。このことは長井課長から直接聞いたので殆どリアルタイムで知ることとなった。それにしても石川取締役営業部長、なんという姑息な手段を使うのか。これは「いい人」を演じている柳川社長からの指示なのだろうか？

今度は山中取締役技術部長からだ。

こちらは仕事を取り上げるというより、仕事に対して難癖をつけだした。営業部と技術部の嫌がらせのステレオ攻撃である。


トップから間接部門は残業させるなという指示があったが私の直接の上司である近藤管理部長に「必要があればやらせます」といって了解をとっていた。それにも関わらず私の部下が一時間程度残業したと山中取締役技術部長からクレームがあがった。呆れて無視しようとしたが残業理由を教えろとしつこく迫ってきたので理由を書いて報告した。山中取締役技術部長、理由になっていないと勝手に判断し攻撃をしかけてきた。

このタイプの人間は自分が全て正しいと思いこんでいるので厄介だ。こちらの話をまったく聞かない。だが山中取締役技術部長と最終的に退職交渉することになる。

「何故、私の上司でないあなたが直接私に話すのですか？」

そう聞きたかったが、聞いても無駄と口をつぐんでしまった。今更ながら後悔している。今なら確実に問い質す度胸が出来ている。

私の直接の上司は近藤管理部長。その上に取締役管理本部長の橋田がいる。

橋田はもともと技術畑なのでお飾りのような存在だ。取締役に就任してから依頼も指示もなければ通達もない。一体何なのだろう。近藤管理部長は私の直接の上司であるが、典型的なメッセンジャーボーイだ。

近藤管理部長とはたまに飲む仲でもあったのだが、この件が発生してからまったくの腰砕けになってしまった。電話しても「何も聞いていない。知らない」の一点ばりになった。

典型的なサラリーマンなのだろう。なので、山中取締役技術部長にクレームをつけても詮のないことなのだ。だから口に出かけたのだが飲み込んでしまった。

これは社長からの指示なのか?

これら以外にも様々な嫌がらせが始まった。

その都度、最新の注意を払い対応して来たのだが、すでに私の精神はそのプレッシャーに悲鳴をあげていた。

数日後、突然、石川取締役営業部長より会議室に呼ばれる。

当然、私が社長から退職勧奨を受けているのを知ってのことであるが、退職に応じるよう間接的に説得し始めた。

「会社ってさー、社員を辞めさせるためには何でもするよねー。以前、小見山課長の上司も、グループ会社に転籍させられて、降格、減給になり結果的には辞めていっていることを知っているよねー」

この人、何が言いたいんだ……。

「で、究極の報復人事って知っている?」

それは、グループ赤字会社の役員にして、その責任をとらされ解任させられることだ。役員というと栄転と思われるがこのグループは役員になっても給料は変わらず責任だけをとらされる。端から見れば、昇進したように見え、解任された時も責任をとって辞めたんだと思うから、全て本人の責任になってしまう。そして、更に恐ろしいことに役員には「失業手当」が出ないことだ。これには私は震えた。身近にこのような事例を何度も実際に見てきている。そして、退職させるためには会社は何でもやるということも前の会社でも経験があるのでよく分かる。

石川取締役営業部長は「君のためにと思ってアドバイスをしたのだが、参考にしてね」って言うと、ニヤリと笑い席を立った。脅しと分かっていても妙に説得力がある……。

執拗な退職勧奨に私は疲れ果てていた。石川取締役営業部長が去った後、私は放心状態であった。しかしながら数秒後猛烈に恐怖心が湧いてきて、ますますマイナス感情の深みにハマリ、精神は病んでいった。

しかし、今、会社を辞める訳にはいかないのだ！

退職勧奨、嫌がらせを受けている間、ただ悶々と過ごしていた訳ではなく、このままだと、本格的に病気になると思い、コーチングのセミナーなどに参加したり、昔の会社の仲間と会ったり、極力、人と会う努力をしていた。

コーチングセミナーでは私が前に進めなくなっているのを某コーチは目標設定に失敗しているのでは、と指摘した。

「細い道を歩いている。両脇は断崖絶壁で、恐怖で足がすくんでしまい前に歩けなくなっている状態ではないか」という意見だった。成る程と思った。今、マイナスの事ばかり見て心が縮んでしまっている。細い道でもまっすぐ前の目標を見ていれば恐怖は感じられない。堂々と歩いていける。今は目標設定して、それに向かっていく勇気が必要なのだ。また、本当は太い道を歩いているのに勝手に細い道と勘違いしている場合もある。廊下に五〇センチ位の板をおいて歩いても、そんなに怖くないが、これを一〇メートル位の高さに持っていったら途端に怖くなる。

その崖も本当は二、三メートル位で落ちても大した怪我をしないだろうが、底なしのように感じるのはその正体の実体がつかめないからだ。

まず、会社を辞めた時のリスクを正確に調査する。

この時、七〇パーセント退職する覚悟を決めた。

そして、その時は突然やってきた。

山中取締役技術部長に呼ばれた。四月からの組織改編とのことだ。私は採用センター（管理本部）という部署に所属しているのだが、今年は採用予定はないということだ（実際は活動しているようだが……）。

「某部署のXX課長代理の下でやって貰うようになる」。私の現在の立場は課長なので、移動とはすなわち課長代理以下の降格に間違いないというわけだ。今、私がやっている職務を全てXX課長代理に移管する、とのこと。

そうきたか。私の評価も低い。また、因縁をふっかけてきた。ねちねちとしかも些細なことを重要なことのように話す。私の耳には「辞めろー。会社を辞めろー」と聞こえる。私はもううんざりして「会社を辞めます」と言った。

一瞬、山中取締役技術部長はキョトンとして。

「今、なんて言ったの」

私は再びはっきり言った。

「会社を辞めます！」

「本当か」

再度、言った。

「本当です！」

山中取締役技術部長の顔から一瞬笑みがこぼれてしまったのを私は見逃さなかった。単純な奴だ。本当はクビにしたかったのだろう。

私は矢継ぎ早に条件を出した。

退職月は七月末付け。

退職は会社都合。

退職金は会社都合で満額。といっても、三年程度の在籍期間ではたかがしれている。それこそ自己都合になったら雀の涙だ。

あと、退職金の計算は三月末時点の給与で行うこと。当然四月以降になれば、降格減給で出来るだけ不利な条件を設定して来るはず。

私からの最後の条件は即答できないとのことだ。役員といっても重要な決定はこの企業のオーナー会長が握っているので人事など何一つ大事なことは決定出来ないのだ。できる事はオーナー会長の忠実な僕《しもべ》になることだ。

山中取締役技術部長は、

「社長に言っておく。ちょっと待ってくれ」

結局、社長も権限がないのでオーナーの会長のところへお伺いを立てにいくだけなのだが……。

この役員はまだましなのはまっすぐな所だ。他の役員より好感がもてる。まるでカルト系宗教の信者のように純粋、まっすぐに会長の意向に従う。疑問も持たない代わりに姑息な手段は用いない。

「分かりました」と言ってこの面談は終了した。

こころの底から、もうこいつらと一緒に仕事をすることはうんざりだと思った。

山中取締役技術部長との面談が終わった後、心が晴れ晴れした。

心配、不安は一杯残るが決断したことで心が軽くなった。

この夜は久しぶりにゆっくり眠れた。

退職を決断した理由、何故退職を決断したか。
一言で言ったらこの経営者たちと一緒に仕事するのがばかばかしくなったからだ。
これ以上、この会社に残ろうと戦っても消耗戦になるばかりだ。
まったく非生産的で、前に進めなくなることが見えたからだ。
気持ちもこれ以上持たない。
どのみち苦労をするなら、前に進む道を選んだ。
そういう理由で退職を決断した。

ローン、生活費など不安だらけであるが、前向きに考えた方が精神衛生上ずっと良い。
もっとも扶養家族などいたら有り得ないと思うが……。
今のまま会社に残ったとしても抑うつ状態になり休職、退職の道を進むだろう。
そのような人たちを私は沢山見てきている。
やはり、チャレンジしている方がイキイキできると考えた。
だが、実際に転職、失業生活に入るとどうなるのだろうか？

十一月末。実際の離職後は想像以上に厳しいことを知る。
世の中は甘くない。
この後も、長いトンネルは続くことになる。

第三章　苦難編

生きるってしんどいよね、生きることが嫌になったとき、更に嫌になる章。

子猫の話

猫の名前はミコ。三毛猫だ。私が物心ついた時にはもういた。

だから一緒に育っているようなものだった。

私が小学校低学年の頃の話だ。近所には野犬や野良猫が一杯いた。

夜中になると犬の遠吠えなんか聞こえてきた。ウーウーと消防車のサイレンも聞こえてきた。

未だ小さい私は恐怖におびえ布団の中に潜り込み縮こまっていた。

昭和三十年代の半ば頃の話である。

押入れの暗く狭い一隅でミコが子供を生んだ。

それがこの恐怖の始まりであった。

当時私の家族は長屋の一角に住んでいたので、到底八匹もの猫を飼うことはできない。両親とか姉は貰ってくれるところを探したがどこも貰い手がなかった。そこで父親は私と兄に命令したのだ。この猫たちを荒川に捨てて来いと。

嫌も応もない。父親の命令は絶対である。

翌日、私と兄は、生まれたての子猫八匹を小さな段ボールに入れて荒川に向かった。当時の荒川はまだ沼地などがあり、河童が描かれている看板が至る所に立っていた。

もちろん近寄ると危険だよという警告である。

真っ黒で淀んでいる泥沼は私たち小さい子供たちには底なし沼のように見えた。一旦足を入れるとずぶずぶっと足がめり込み、あっというまに飲み込まれそうである。

私と兄は、荒川の土手を上りそんな沼地の前へ来た。

兄の持っている段ボールの中からはみゃーみゃーと子猫の鳴き声がする。

私と兄はなかなか捨てられなくてその場で佇んでいた。

もう夕方近くになり辺りは薄暗くなってきた。

夕暮れの中に蝙蝠も沢山飛んでいる。

「兄貴、どうするんだよ」

「どうするって、捨てるんだよ」

しかし、段ボールを持っている兄の手は震えている。

「捨てんのはよそうよ兄貴」

「よそうっていっても、このまま帰ったら父ちゃんに怒られるよう。父ちゃん怒ったらおっかないぞ。すぐ殴るんだぞ」

「……でも」

しばらく沈黙が続くと、兄はワーとでかい声を出したと思ったら子猫が入った段ボールを沼地に向かって放り投げた。放物線を描いて段ボールは沼地に着地した。段ボールは沈まなかった。中からみゃーみゃーと子猫の泣き声が聞こえている。

兄と私はおっかなくなり、振り向くやいなや一目散で逃げ帰ってしまった。

しかし、子猫の泣き声はずっと頭の中で聞こえていた。

家に戻ると私は布団を頭からかぶり震えていた。

しかし頭の中には、未だ眼さえろくに開いていない八匹の生まれたての子猫が恨めしそうな顔してみゃーみゃー泣いている。その子猫たちはだんだん大きくなり、私の周りを回り始めると突然大きな口を開いて私に向かって襲ってきた。

私は「わー」という声を出して布団から飛び出た。


辺りは暗くシーンとしていた。いや良く聞くと「みゃーみゃー」と小さな声が聞こえる。耳を澄ませてみる。やっぱりあの子猫たちの声だ。どうやら玄関の方から聞こえてくる。玄関といってもそこは長屋である。玄関をあければそく寝室兼居間がある。

その六畳ばかりの部屋に家族五人が寝ているのである。

私は、そっと起きて玄関に近づく。子猫の声はさらに大きくなる。玄関をそっと開ける。

なんとびっくり。

そこには八匹の子猫が精いっぱいみゃーみゃー泣いているのだ。

子猫たちは目から口からどろどろになってそこにいる。

「かあちゃん。大変だ。猫がいる、猫がいるよー」

と母親を叩き起こした。

子猫たちは私たちを追いかけてきたのだ。追いかけてきたと言っても、あの泥沼から土手にあがり、土手下の道路を渡って、民家の細い道を通ってやっと我が家にたどり着く。

これは奇跡だ！

幸い泥沼は比較的固かったのだろう。体重の軽い子猫たちは沈まずに済んだのであろう。

それにしても。しかし、しかしである。奇跡としか言いようがない。

ところが、父親は再度、兄と私に捨てに行くように命じた。

私は「もう、やだよー。やだよー」と泣きながら反発した。

兄も同じであった。私たちのそんな姿を見て父親は諦めたらしく、それ以上いうことはなかった。

その日、私は学校に行き、嫌な予感がしたのでそそくさと家に帰った。

「ミコ、ミコ」と呼んだ。ミコはどこからか「にゃー」と泣いて寄ってきた。

私は安心してミコの体を撫でていると、子猫たちの姿が見えないことに気付いた。

「かあちゃん。子猫は何処にいった」

「しらないよー。子猫なんて」

「朝確かにいたじゃないか」

「知らないものは、知らないね！」

私は察した。これ以上質問すると恐ろしい答えが返ってくることを。

しばらくして、ミコも居なくなった。
ミコは子供たちを探しに出ていってしまったのだろうか。
もう、私は母親に質問しなくなっていた。
私は外に出て叫んだ。
「ミコ、ミコ、何処へいったの。出てきてくれ！」
私のか細い泣き声は狭い路地の中に吸い込まれていった。

祈り？

ここは田舎のおんぼろの神社。なにやら男は疲れた顔して祈っている。いや、祈るというより愚痴っていると言った方が正確であろう。神様はそんな男の様子を鈴の上からじっと眺めていた。

「この世は夢も希望もないじゃありませんか。俺は真面目に一生懸命生きてきたのに、良いことなんて全然ありません。会社は倒産してしまうし女房は子供を連れて家を出て行ってしまう。挙句の果てに家まで取り上げられちまったんだよ。これ以上何を取り上げようとしているんだ神様」

神様はそんな男の愚痴を聞いているうちに思わず話し出した。

「困った奴じゃな〜。まあお前だけじゃないが、お前らみたいな奴は困った時しかお参りにこないもんな。それに金が欲しいとか、成功したいとか、いい女と結婚したいとか自分の都合の良いことしか祈らへん」と神様。

男は、おもわず神様に食ってかかる。

「神様かなんだか知らないが、それじゃ駄目なんですか。今までもお賽銭を上げても何も願い事を叶えてくれたことないじゃないですか。この前なんて奮発して千円も賽銭箱に入れたのに事故には遭うわ、犬におしっこひっかけられたり踏んだり蹴ったりだよ」

「困った奴じゃな〜本当にお前は。どうしようもない奴じゃ。いいことないのも当たり前だぞ」

「そんなこと言ったってどうすればいいのですか?」

神様は「バ〜カ、そんなこと自分で考えなさい。神様にお願いすることじゃありません」

男はベソをかきながら「だって俺、本当に困っているんですよ」

「何をそんなに困っているのだ？　言ってみなさい」

「まず、今日寝るところもないんです。さっき、とうとう家を追い出されてしまいました」

「そうか、それは大変だな。それじゃこの神社で雨露をしのげ」

「ありがとうございます。神様、もっと言っても良いですか」

「なんだ言ってみろ。神様だって出来ることと出来ないことがあるけどな」

「今日、朝から何も食べていなく腹がぺこぺこです。お金もないですし何か食べさせて下さい」

「何、腹が減っているのか。それじゃそこにあるお供えの饅頭でも喰らえ。少しは腹の足しになるだろう」

男は饅頭をがつがつ食う。そして男は言った。

「今度はお茶が飲みたくなったのですが……」

「本当にお前って奴は……。お茶はないけどそこに手を洗うところがあるだろう。そこの水で我慢しなさい」

男は早速、水を飲み満足した顔である。そして再び神様に言った。

「神様、最後のお願いを聞いてくれませんか。これで本当に最後にしますから」

「本当に最後だぞこれで。わしだってこう見えても忙しい身なんだ」

「ありがとうございます。これで本当に最後にします。その願いとはお金が欲しいのです。お願いします。お金があればこんな悲惨な状態にはなりません……」

神様をちょっと考えて言った。

「お金が欲しいのか。(男は頷く) しょうがない奴じゃ。お前の目の前にある賽銭箱があるだろう。その中のお金を全部くれてやる。智慧を絞って中のお金を取り出してみろ。そしたら全部お前にやる」

男の目は先ほどと違って輝きだした。

最初は手をつっこんでも盗れるはずもない。境内に落ちている木の枝なんかを拾ってきて賽銭箱の中に突っ込んでもなかなかとれない。どうしたもんかと悩んだ挙句、男はとんでもないことを思いついた。この賽銭箱を転がしてしまえばいいんだ。そうすれば銭が転がってでてくるはずだ。そう思うと男は賽銭箱をガンガン揺らし転がそうとした。すると遠くの方から声が聞こえてきた。

「賽銭泥棒がいるぞ。誰か来てくれ〜」その声とともにどこからともなく屈強の男が集まってきて男をあっさり捕まえてしまったのである。男は泣きべそをかいている。

神様は鈴の上から連れていかれる男を見てこう呟いた。

「これであの男、当面、宿の心配と飯の心配はいらなくなったな。お金は少し頭を使えば何とかなるだろう。あれだけ必死で賽銭箱のお金を盗ろうと頑張ったのだからな」

……すると男の声が遠くから聞こえてきた。

「神様〜、あんたの言うことを聞いていたら俺、捕まってしまったぞ。どういうことだ〜」

「あの男、本当に困った奴だ」

神様がまた鈴の上で休んでいるとまた疲れた男がやってきて祈りとも愚痴とも言えないことを呟きだした。

「この世は夢も希望もないじゃないですか神様……」

心筋梗塞な日

生きていて良かった！　死ぬかと思った。

苦しい。息ができないのだ。

ほら、一〇〇メートル全力疾走して、ゼイゼイ肩で息をする。そんな感じだ。

また、水の中の酸素が少なくなって、水面の上に口を出しパクパクやっている金魚と同じ様な感じだ。

その日、朝から苦しかった。非常に息苦しかった。大抵、じっと我慢していれば数秒で苦しさは軽減するが今回は違うようだ。苦しくなる間隔がだんだん短くなる。

まだ、心筋梗塞なんて遠い世界のことと思っていたので自分の体に何が起きているか分からなかった。

とにかく、今は多忙な時期なので会社に行かなくてはならない。

なんてこった。五十歳直前にこの会社に転職し、まだ三ヶ月しか経っていない。

それで休んでしまったら信頼を失うことになる。

まずは、会社に行こうと電車に乗った。しかし、息苦しさは一向に楽にならない。我慢だ、我慢！

私は某ＩＴ企業の人事課長をやっている。入社したときはプログラマーで入社したのであるが何故か人材開発を経て人事、今は採用担当をやっている。

タバコは高校時代に吸い始め、かれこれ三十年以上、一日に一箱以上は吸っていたので、不健康生活の付けが回ってきたのかもしれない。

当時四十九歳。ここから人生転落の序章が幕を開けたことになるのである……。

一時間半後、我慢に我慢を重ね、やっと会社にたどり着いた。しかし今回は息苦しさが収まらない。苦しい。即、上長に許可を貰い会議室で休憩することにした。しかし、全然良くならないばかりかますます苦しくなる。変だ、完全に私の体はどうにかなってしまった。

限界に達した私は、妻が勤務している病院に行くため、一旦家に帰ることにした。

電車の中ではずっとうずくまっていた。

最寄駅についたが息苦しさは回復しない。

一旦、家に帰ってから病院に向かおうとしたが、もう限界に近づいていた。

私はタクシーに飛び乗り病院に急いだ。タクシーの中でも相変わらずうずくまっている。タクシーの運転手はそんな私の状態を見て、何も言わず病院に急いでくれているようだ。やっとの思いで病院に着いた。

この病院は市内の数少ない総合病院なのでいつも混んでいる。

とりあえず病院の受付にいった。すると年輩の事務員は事務的に「何科ですか?」と聞かれたが答えようがない。とにかく「息苦しいのです」と答えると、「じゃー内科ですね」と言って内科の受付番号を渡された。

案内されるまま内科のエリアに行き待つことになる。

内科の混雑はひどかった、三十人、いや四十人位待っているように感じた。

診察室の前の待合室には人がいっぱいで座っていた。年寄り、中年女性が多い。若い人は少ない。やはり若い人は健康なのだ。改めて現在の病院事情を実感した。

私はソファーの一角が空いていたので、座る。苦しさは変わらない。少しでも苦しさから逃れるようにずっと下を向いてうずくまっていた。まだか、まだか。

一時間経ったが、なかなか順番が回ってこない。いつまで待てば良いのだろう。冷や汗がでてきた。受付に行って早めに診てもらおうかと思ったが我慢してしまった。

気が遠くなるような時間待たされ、やっと名前が呼ばれた。

私は診察室に入った。

医者は通常の質問をした。

「どうしました」

「息苦しいのです。我慢できません」

医者は私の様子をみるとすぐ看護師をよび、移動できる椅子に座らせ、「今から安静にしてください。じっとしていてください。歩いてもいけません」と言った。

医者は心電図と肺活量の検査を看護師に命じた。

その間、私は絶対安静。

心電図の検査の後、そのままベッドに横になっていた。すると数名の看護師がやってきて「今から集中治療室（ＩＣＵ）に移動します」と言って私を移動型ベッドに移した。看護師たちは私の頭と足をもって手際よく移動型ベッドに移した。

そんな理由《わけ》で私はＩＣＵに移されることになった。この時、分かったのは、何か重大な病気であり、即、手術とか必要なのだろうと思った。その時、「死んでしまうのかもしれない」と、うっすらと、死を実感した。

ＩＣＵのベッドに私は寝かされていた。すると担当医がやってきた。

「今から絶対安静にしていてください」

と言い、担当医は私に舌下錠（ニトロ）を渡すとこう言った。

「この薬は舌下に入れ、唾液でゆっくり溶かしながら燕下してください」

私は舌下錠を手に取ると、その錠剤を慎重に舌の後ろに入れた。味は良く分からなかったが、何か甘い感じがした。

しばらくすると息苦しさは緩和してきた。恐るべし舌下錠。

また、二つの鼻の穴から管をとおして酸素を入れ始めると更に呼吸が楽になった。医者は私の病気が何であるか知っているのだろう。

私の症状が少し落ちついてくると医者は説明を始めた。

「心筋梗塞です。即処置をしなくてはなりません。準備があるので明日の十時から開始します。まず、手首から管（カテーテル）をとおし心臓の状況を確認します。どこかで血管が細くなっていたり、詰まっていたりしたらそのままバルーン（風船）を入れて血管を膨らませ、血管の外壁にステントという金属片を入れ補強します。検査は約一時間で終了します。もし、処置が可能な場合は、そのまま続行し血管を補強する作業に入ります。あと一時間強位かかります。もし血管が詰まっている場所などが悪く、処置ができない場合はそのまま処置を終了します。よろしいですか」

よろしいもなく、もうそれしか選択肢がないのであればやるしかないのであろう。というか、この説明では何のことか良く分からなかった。後に説明資料を渡されたが処置が終わってからであった。

この説明後、医者は恐ろしいことをさりげなく言った。

「もし、冠動脈（心臓内を走っている血管）の先の心筋に血液が長い時間巡ってない場合は、四つの心室の固まりがバラバラになり助からない場合があります」

両手の拳を使って説明してくれた。

私は反応しようがなかった。ただ、ただ私の体は恐ろしいことになっているということ、最悪は心臓がバラバラになってお陀仏になってしまうこと。

最後に誓約書が渡された。その内容は「手術が失敗しても文句は言わないこと」のようであったかと思う。

もう、ここまできたら拒否できないのでサインをした。

その後、看護師はさりげなく聞いてきた。

「何か心配事はありませんか？」

「今苦しいのを何とかして欲しいだけです」

それ以上、看護師は追求してこなかった。

後で妻に聞いたところお金の事らしい。

年寄りで高い医療費を払いきれず、二度と来院しない人が多いらしい。

これも後で分かったことだが、この医療費、入院費用など含めて百五十万位掛かっていた。高額医療の適用で実際にはそんなに支払わなくても済んだ。

健康保険って有り難いとつくづく思ったのはこの時が初めてだ。

集中治療室（ＩＣＵ）の夜は不気味である。

ピー、ピーと鳴動する機械音。医療機器のＬＥＤが緑色に小さく光っていたり点滅していたりする。

その夜、私は眠れなかった。ベッドの向こう側にある心電図のモニターに、心臓の波形がずっと流れている。この波形をずっと眺めていた。

この波形が何を意味するのかは分からないが、この波形が一直線になると心臓が止まったということになるのだろう。ＴＶで見たことがある。

今、ＴＶでしか見たことがないシチュエーションに自分がいることに何か不思議な感じがしていた。

夜中、急に鳩尾《みぞおち》が痛みだした。この痛さは煙草をずっと吸わないでいると起こる時の痛さだ。あまりにも痛いので、緊急用のボタンを何度も押してしまった。看護師はその度にきて「どうしました」

「鳩尾のところが痛くて我慢できません」

心筋梗塞とは直接関わりないが、看護師は舌下錠（ニトロ）を持ってきて飲ませる。だが舌下錠を飲むがぜんぜん痛さは収まらない。

痛さを緩和させるため無意識のうちに鳩尾のところを爪をたてていたようだ。朝起きたとき血が滲んでいた。

そして、とうとういくら呼んでも看護師は来なくなった。

私は痛さと格闘しながら悶々としていたが、いつしか眠りについていたらしい。朝起きるとあれ程痛かった鳩尾から、すっかり痛みが消えている。

多分、これはニコチンの禁断症状かと思う。通常でも何時間も煙草を吸わないでいると鳩尾が痛くなる。その度に煙草を吸ってごまかしていた。

この時期、私の喫煙量は一日一箱から二箱を確実に煙にしていたのだ。この日を境に煙草はまったく吸いたいと思わなくなった。

手術当日、妻はやってきた。

妻は私を見て「しょうがないわねー」という顔をしていた。

そんな妻の顔を見ながら手術室に搬送された。

「手術室を出る時、私はどうなっているのだろう」と、ふと脳裏をかすめた。ちょっと恐ろしかった。


心筋梗塞の医療技術は最先端の技術らしい。


〈心筋梗塞の説明〉

心筋梗塞は心臓に張り巡らされている冠動脈が詰まって血液が巡らない状態になること。血液が巡らないので酸素不足になり呼吸が苦しくなる。ほっておくと心臓自体にも血液が循環しなくなるので心臓を構成している四つの筋肉（左心房、右心房、左心室、右心室）がばらばらになってしまうことがあるという。想像しただけで恐ろしい。

この対処法は昔であったら詰まってしまった血管の部分を切り取りバイパスをするので、切開手術が伴うということであり、復帰に何ヶ月もかかったらしい。

カテーテルの処置は血管の中に造影剤を注入し、血管が詰まっている箇所を特定し、処置できそうであったら続行、場所が悪かったり、なんらかの理由で処置ができない場合はそのまま一旦中止になる。

その方法は、右手首の血管からカテーテルという柔らかい管を通し血管が詰まっている部位にバルーン（風船）をいれて膨らませて血管を広げ、そこにステントという金属を補強して完了する。

この処置は「切開」が伴わないので「処置」と呼んでいた。昔の切開手術と分けているのかもしれない。

この処置が終わって二、三日で退院できる。

（注2）この説明はインターネット百科事典「ウィキペディア」と自分の処置時、担当の医師から説明を聞いたことを思い出しながら書いている。もっと詳細で正確な知識、情報が欲しい方は専門書で調べるか、医師等に聞いて頂きたく思います。

しかし、最新の医療技術というのはすごい進歩していることを思い知った。

いよいよ処置に入る。

今、私は手術台の上に寝かされている。

テレビドラマの一シーンに出演しているような妙な感覚である。「医龍 -Team Medical Dragon」というドラマを毎週欠かさず見ていたのでそう思ったのかもしれない。

手術室には何人も医者、助手らしき人たちがいる。

処置は全身麻酔かと思っていたら、右手だけの麻酔であった。右手首に小さな穴を開け、そこからカテーテルを通し処置をする。

右手だけの部分麻酔なので処置中、周りの声はしっかり聞こえる。

これは想像であるが、心臓までの血管が写っているモニターを見ながら右手首から出ている管の先で操作しているらしい。それにしても右手首から心臓までカテーテルを通すなんて神業に近いと思う。血管といっても体中に張り巡らされていて、太い血管もあれば細い血管もある。それは超細い管を通してしまうなんて……想像すらできない。

ただ、私の横で施術をしている医者の姿は、どこかパソコンのモニターを見ながらマウスを操作しているような感じに思えた。

約一時間位経った頃であろう。

いよいよ、処置続行か、終了かの判断である。

ちょっと緊張して先生の話を聞いていたが、あっと言う間に説明は終わった。

「処置が出来そうなので続行します」ということであった。

良かった。私はひとまず安堵した。

後は無事処置が終了するのを待つだけである。


医者たちの声が聞こえる、一、二、三なんてかけ声をかけている。今は一人の医者だけではなくチームなんだと実感しながら聞いていた。


「空気を注入します。何ミリバール」

声は聞こえるが理解が出来ないやりとりが聞こえている。

なんか不思議な感覚だ。今、まさに心臓まで管が通っていると思うとなんか感動してしまう。

なんとか処置は終了したらしい。

後準備に入る。

医者からトイレは平気かと聞かれたが、この部屋に来てからかれこれ三時間以上経っている。膀胱は限界にきていた。

私は小さい声で、

「ダメです。我慢できません」と担当医に言う。

「もうすぐなんだが、ダメか」

「ダメです。漏れそうです」

「分かった、なんとかしよう」

と担当医は言うと、看護師にその旨伝え対処してくれた。

その看護師というのは女性であったので恥ずかしかった。パンツを下げ、溲瓶のところに泌尿器を持っていってくれる。俗っぽくいうなら、おチンチンの先を溲瓶に入れてくれるということだ。

私は、もうどうでも良いやという気持ちになっていた。尿といえ寝たままやるのであるから非常に大変である。

パンツを膝までずらされ陰茎を溲瓶に入れられると「いいですよ」と言われたのであるが、これがなかなかでない。我慢できないほど排尿したいのだが、これがなかなか出ない。不思議なことだ。腹に力をいれ息むと、ちょろちょろ少しずつ出始めた。出始めると膀胱に大量に溜まっていた尿は順調に出る。今度は出るのはいいが、なかなか止まらない。もう永遠というほど排尿していた感じがある。何分経ったか分からないがやっと終わった。

人間はいかに重力に頼って生きているのか、しみじみ分かった。立ったまま楽に排尿できるのは重力があるからなのだろう。


すべての処置が終わり手術室からでていくとき思った。

「生きていて良かった！　死ぬかと思った」

しみじみ思うのであった。

死の瞬間

みなさんは死の瞬間を見たことがあるでしょうか？

私は一回だけ立ち会ったことがあります。

それは父親の死。

東京医科歯科大学の個室。

父はそこで治療を受けている。末期の肺癌である。

私は母から危篤を伝えられてから病院に向かう。

その日から母、姉、兄、私が病院に泊まり込む。

父は酸素吸入器を鼻にあてがい、鼻の穴から酸素を注入している。

規則正しい呼吸をしている。

ベッドの横には心電図の機械が置いてあり、緑色の線がモニターの中を波形になって規則正しく流れている。心臓が動いている証拠だ。

泊まり込んで三日目。我々は疲れていた。特に母親の疲れはピークであったような気がした。下手をすると看病疲れで倒れてしまうかもしれない。

そんな母親も心配になる。

父の意識は朦朧としているのかあまり話さない。ときおり水が欲しくなるらしく水と言う。

すると母が脱脂綿に水を浸して唇につけてあげる。父はそれを舐める。

もう、水も飲む体力もない。

三日目の夜中、父は眠っていて今日も安定していて安心感があったのか、母、兄、姉、私がテンションがハイになっていたのか話に熱中していた。

すると、父が何か言いたそうであった。
我々は何か遺言でもするのかと思って身構えた。
母は「何、何が言いたいの」と声をかける。
すると父は「みんなうるさい、出て行ってくれ」と言った。
我々は黙って父を見守った。
父はすやすや眠った。
呼吸も規則正しくしている。布団が上下しているので分かる。
我々がちょっとホッとしたとき父親の眼が大きく見開いた。
我々は復活したのかと思い、「父ちゃん！」と叫んだ。
その直後、呼吸は止まった。
それが最後であった。
数秒後、当直の医師と看護師がバタバタと病室に入ってきた。
医師は胸に機械を当て数回電気ショックを与えた。
その度に、父の体は軽くバウンドした。
しかし、それも徒労のようだ。
医師は我々家族の方を向くと力なく首を振った。

そして、父の方を向きなおすと合掌した。
もう、外は薄明るくなっていた。
それで父の生は終了した。
我々はしばらく病室で父とともに過ごした。

その後、父は簡易ベッドで安置所に運ばれた。
運ぶ途中、すれ違う人々はその場で立ち止まり合掌をしていた。
私は涙が溢れてきてしまった。

【第二部】創作編

とある物体

お酒を飲んだ帰り、おしっこがしたくなったが電車の中。膀胱の筋肉を引き締め必死でこらえる。やっと最寄りの駅に着く。しかし、待つ人多数。寒い夜のトイレは超満員。みんな酔客だ。俺も必死で我慢した。もうすぐだ。ここで漏らすわけにはいかん。尿道も痛くなってきた。肩で息をゆっくり吸い落ち着かせる。待つこと数分。やっと、順番が回ってきた。これで心置きなく用足しができる。勢いよく放水開始。体中から力が抜けていくような快感が走る。出るわ出るわ、待っただけあってたくさん出る。膀胱はパンパンになっていたのであろう。まだ出ている。かれこれ三分以上経っている。

となりの人たちは次々入れ替わっているのに、俺だけまだ終わらない。ど、どうしたことか、未だ勢いよく出ている。止まらないのだ。どうしよう、どんどん出ている。時間は十分、二十分経っている。

俺は焦った。がどうしようもない。これでは体中の水分が全部排出されてしまうではないか。

最終電車もいってしまい翌朝、駅員が、ある物体を発見した。

　それはトイレの中で、空気の抜けた人形のようなものがふにゃふにゃになって落ちていたのだ。何を隠そう、その物体とは俺のことだ。

蜘蛛の糸

満員電車の中。目の前に蜘蛛らしきもの。こんなところに蜘蛛か？　目を凝らしてみるとやはり蜘蛛だ。それも数ミリの。どうやら吊り輪を起点として糸を垂らしているようだ。両隣のサラリーマンは気づいていない。この蜘蛛どこから、なんのためにどうやってきたのかは見当がつかない。興味をもったのでさらに観察する。すると、この蜘蛛ゆらゆら揺れながらも下に下に伸びていく。床まで行き着くつもりか。それにしても床までまだ一・五メートル以上ある。こんな小さな体の中のどこに蜘蛛の糸の材料は蓄えられているのだろうか？　さらに観察する。すると床上、一メートル位のところで停まった。とうとう種（蜘蛛の糸の材料）がなくなったのか？　蜘蛛はしばらくじっとしている。するとまた蜘蛛は糸を尻から出し始めた。やや、よく見ると、尻から糸をだしているのではない。尻の周りが少しずつ消えていく。まるで毛糸のセーターのほころびから一本の毛糸をひっぱりほぐしていくような感じだ。さらに見る。蜘蛛は、どんどん巻き取られるように消えていき、とうとう胴体まで消えた……。つり革から一本の蜘蛛の糸がゆらゆらと揺れている。

蜘蛛の姿は何処にも見当たらない。

ヒッキーな男

その男は何処に行こうとしているのか？　まるで世間から背を向けるように自分の世界に閉じこもっていった。今まで仲間も大勢いて面白おかしく生活していたが、突然世界が灰色になった。何をしても面白くない、つまらない、味気なくなった。もう、会社もどうでもよくなっていた。そんなことでヒッキーな生活が始まった。日曜日に一週間分の食料を買い込み、ずっと家で寝て暮らすようになった。テレビも見ることもなく、本も新聞も読まず、ただ炬燵の中でボーっとしている。そんな生活が一ヶ月も続くと自分が誰かも分からなくなってきた。「一体自分は何者？　何のために生きているの？」そんな疑問が湧き上がってはくるが、そんな想念さえ流してしまい、ただひたすら息をしている。そう、男は息をして食べて、寝て、ボーっとしているだけ。そのうち貯金も尽きてきて家賃も滞り、食事も満足にできなくなってきた。男は空腹になると水をがぶ飲みし一時の空腹を紛らわした。

それから数ヶ月、電気、ガス、水道も止まった。家賃も滞っており部屋の様子がおかしいとおもった大家は男の部屋にきて、ドアをノックしたりして男を呼び出そうとしたが反応がない。そこで大家は何かあったと判断しマスターキーで部屋を開けた。

恐る恐る部屋の中に入っていくと奥の部屋に男が居た。男はニコニコして大家に言った。

「お茶でもいかが？」

シュールな……

何故か私が勤務していた前の前の会社のオフィスの一角。目の前にいるのは中学時代の友人。何やら中学時代の友人、私に訴えかけている。

「小見山この会社が変なことは分かっているだろう。幹部なら何とかしろよ」

「俺には何もできないよ。君の言うことは良く分かるが……。幹部会で発言はしているが……どうしようもない。分かってくれ」

―暗転―

その会社の三階のベランダ。下を見ると、なにやら幼稚園児たちとお母さんたちがいて、幼稚園児が送迎バスに乗ろうとしている。よく見ると、同じマンションのカヨちゃん、ゆうちゃん、さっちゃんがいる。俺は「おーい」と手を振った。子供たちはこちらに気がついて「ショー君のお父さんだ。オーイ、オーイ」と言って手を振ってくれている。何故か、うちの息子のショーがいない。

「ショー君はどうしたの?」と叫ぶとカヨちゃんは「バスの中」と甲高い声で返答してくれた。バスの中を見てみると、うちの息子ショーが一番後ろの、窓際でニコニコしながら私に手を振っている。

―暗転―

宴会の席。何故か野外の会場である。仲間たちは談笑している。私は今来たばかりで会話に入っていけない。

鬱状態がつづき会社を休んでいる社員A君の家へ訪問したのである。A君は独身で一人暮らし。部屋はかなり散らかっている。カップラーメンの食べ残しや、ポテトチップスのかすなどが散乱している。A君はしきりに「死にたい。死にたい」と漏らしている。私には手に負えないと思い、医者に行くことを勧め一緒について行った。カウンセリングを受け抗鬱薬を貰い家まで見送る。A君は大丈夫と言うので、私はその足で宴会場へ。

「死にたい死にたい」と訴えているA君。宴会場で楽しそうに歓談している社員。何か人生の無情を感じていた。飲んでも飲んでも酔えない自分がいた。

―暗転―

自宅のマンション。部屋の一隅に机があり、その椅子に一人の青年が座っている。今日からこの隅を借りたという。私は貸した覚えがないのに。

後ろのほうの壁際にどこかのおやじが暮らしている。誰だろうこのおやじは……。

「あっ、これは夢だ」と思った瞬間、私は飛び起きてやにわに、いつも枕元においてあるメモ帳にこの夢のことを書き込んだ。

夢と言うのはもともとシュールなもの。

でも、夢って、私自身が私に何かを訴えているものと思っている。

今回の夢は、私に何を訴えているのだろうか？

卵

朝起きると布団の中がとんでもないことになっていた。俺の脚の根元に卵が五個転がっている。何故こんなところに卵が転がっているのだ？　俺は逡巡したがどうしてもこんなところに卵を持ち込むことはない。俺はある結論に達した。この卵は俺が産んだものだ。どうも昨日から腹のところがごろごろなっていた。あれは卵だったのだ。でも俺、どこから卵を産んだのか？　まさか肛門からではないだろう。どこからも卵を産めそうな体の部位は見つからないし、考えられない。そんな考えても分からないことを考えてもしょうがないのでまずはこの卵を温めなくてはならない。つまり、俺はこの卵の親になったということである。親である以上育てる責任はある。こうして俺は卵を孵《かえ》すことに専念することにした。親である以上卵を放っておいて会社に行くわけにいかない。とりあえず会社に電話することにした。

「もしもし、私、卵を産んだので当面会社を休ませて貰います」

すると会社の上司の奴、

「何、卵を産んだだと、何をバカなことを言っているんだね。君はもう二度と会社に来なくてよい」

どうやら俺は会社をクビになってしまったようだ。今はそんなことはどうでもよい。まずはこの卵を温めて孵す必要がある。そこで俺はまた疑問が湧いてきた。この卵は何の卵だ。鶏の卵にも似ているし、鶏にしては少し大きいような感じだし。やっぱり鶏のような気もするし……。

俺はそんな疑問を持ちながら毎日布団の中でこの卵たちを温めることにした。外出しても卵のことが気になり急いで帰ってしまうこともしばしばある。俺はこの卵たちの完全な親になっていた。毎日毎日が懐のなかでこの卵を温めるのが楽しくて仕方がない。どんな子供たちが産まれてくるのだろうか？　やはりヒヨコがピヨピヨなんて産まれて来るのだろうか？　それとも爬虫類で蛇の子供かも分からない。

そんな妄想を膨らませながらこの卵を守り、抱いていることが俺にとっては至福の時間である。世の中にこんなに幸福の時間ってあるものなのか？

しかし、俺は朝めしに卵かけご飯が好きなのである。毎日味噌汁と卵かけごはんだけで十分な位である。

ある日のこと卵たちを家において買い物に出かけた。卵を買いにである。無事買い物もすみ家に入るなり「卵ちゃんたち元気にしていた？」なんて声をかける習慣がついていたのである。この日も「卵ちゃん……」と言いかけたとき足がテーブルに躓いてよろけた。すると買ってきた卵がパッケージから転がりだし布団の中に入ってしまったのである。俺は焦って卵を追いかけたが後の祭りであった。買ってきた卵と俺の子供たちの卵と混ざってしまって、どれが俺の子供が分からなくなってしまったのだ。さあ、困った俺。どうしたものかと布団の前で頭を抱えるが良いアイデアが浮かばない。「どうしよう、どうしよう」と小一時間もたった頃ふと思いついた。一緒になったのも何かの縁である。今六個混ざってしまったので十一個ある。全部俺の子供として育ててしまおうと決意をした。また、布団の中で蹲って卵たちを温めることにした。しかし、いつ卵が孵るのだろう。もう二週間もこんなことをしている。そんなことを考えながらまた失敗をしないよう今度は卵にマジックで名前をつけることにした。卵一郎、卵次郎……卵十一郎と黒マジックで書いた。これですぐ分かる。

こんな生活が充実をしていることを俺は感じていた。しかし、そんな生活も長くは続かなかった。ある朝のことである。朝食の日課になっている卵かけごはん用の卵が無くなっていたのである。俺は困った。卵かけごはんを食べないと一日が始まらない位になっていた。俺はどうしよう、どうしようと考えた末、悪魔のささやきが聞こえた。それは卵の子供たちを卵かけごはんにしてしまおうと悪魔の考えが浮かんだのだ。十一個もあるのだから一個位いいだろう。と、いうことで「卵一郎君、ごめんね。食べちゃいたいほど君が好きなんだ。だから食べさせて貰うよ」と言って、あったかご飯に卵一郎君の殻を割り、卵かけごはんにして俺は食した。

美味しかった。

　そして翌日も卵かけごはん用の卵を買っておくのを忘れてしまった俺。今度は卵二郎君を「ごめんね。全然悪気がないんだ。許しておくれ」と言ってまたまた、殻を割って食してしまった。美味しかった。そして三日目も同じ事になってしまった。俺って本当にどうしようもない奴だな。自分の子供を平気で食べてしまうなんて。慣れというのは恐ろしいものである。最初は罪悪感の塊であったのが十個目の卵十郎を食べる頃には罪悪感がほとんどなくなっていた。

　そしていよいよ最後の卵十一郎の時がやってきた。「今日もおいしい卵かけごはん、ふんふん」なんて鼻歌を歌いながら卵十一郎の殻を破ろうとした時であった。卵十一郎は突然コロコロと転がり出したのである。俺は焦って追いかけた。卵の十一郎は家の外へ出てどこまでも転がっていく。それを追いかける俺、逃げる十一郎、とうとう行き止まりの壁まで追い詰める俺。卵十一郎はもはやこれまでと思うと、壁に頭を打ち付け自ら殻を割ったのであった。そして勢いよく俺の持っている茶碗のごはんのなかに自ら飛び込んだ。俺は一気に卵十一郎の卵かけごはんを掻き込んだ。美味しかった。

スパイ

私は常に誰かに監視されている。歩いている時も電柱の陰から、塀の中からも監視されているんだ。家にいる時だってそうだ。天井の隙間から私を監視していたり、テレビも常に私を監視している。今日もワイドショーで私のことを噂しているんだ。それほど、私は重要人物なのだ。

会社の同僚、上司、部下は全て私の敵、私の行動を絶えず監視していてちょっとしたミスをしただけでも私の上司を通して注意がくるのだ。

昨日だってそうだった。私がコピーをしようとするとコピー機は紙がジャムっていて使えなかった。私はしょうがない、使えないと思い席に戻った。すると横にいた同僚のAが、上司にチクったのである。

「小見山、コピー機をエラーを出したまま直さないで席に戻ってしまった」

上司は早速小見山を呼んで注意した。

「君はコピー機を故障させておいてそのまま放置してしまったのかね」

「そうじゃありません。私が使おうと思ったら既にコピー機が使えない状態であったのでそのまま戻っただけです」

「その証拠は？　そのことを客観的に証明することはないのかね」

「……客観的な証拠と言っても……誰かが故障させたままにして逃げてしまったのは間違いありません。私ではありません」

「あなたは自分の責任を人の責任にしてなすりつけるのかね」

「そんなことありません。絶対私ではないです。信用して下さい」

いつの間にか他の社員たちが周りに集まってきていて注目し始めている。

こいつらみんな私を追い落とす為のスパイなのだ。こいつらがわざとコピー機を故障させ私の責任にするつもりなのだ。

上司の声がだんだん大きくなってきた

「まだ自分の責任を他人になすり付けるつもりなのだな！」

「いえ、そんなことは決してありません」

そう言った時、はす向かいの男が薄ら笑いをしたことを私は見逃さなかった。私は咄嗟にその男に掴みかかり「犯人はお前だろう。正直に吐け」と迫った。同僚たちはとうとう小見山が気が狂ったと騒ぎ立てそして屈強な男が小見山を羽交い絞めした。そして言った。「この男正気じゃありませんね。暴力をふるったので警察につきだしましょうか」

上司は言った。

「いや、まだ警察にだすのは早い。もう少し様子を見よう。私が別室で話してみると言った。

幸い掴みかかった男に怪我はなかったようだ。

私は上司に連れていかれると別室に案内された。するとそこは裁判所の法廷であった。真ん中になんか偉そうな人が制服（法服）を着て座っていた。多分裁判官である。

そんな中、私は被告席に座らされた。

すると間もなく裁判官の尋問が始まった。

「被告、小見山、コピー機を故障させたばかりか、その故障の責任を人になすりつけようとしたことに相違ないな」

「いや、僕、コピー機を故障させた覚えもないし、人の責任にしたことはありません。裁判長。信じてください」

「信じてくださいってあんた。証人が一杯いるので抗うことはできませんよ」

すると証人のB子が発言した。

「私、小見山さんがコピー機を壊した時を見ていました。直すか総務に連絡をするのかと思ったらそのまま立ち去ってしまいました」

B子から一度告白されたことがあり、自分は興味がないといいあっさり振ってしまったことを思い出した。

C男の証言「小見山さん、前にもコピーを故障させたりして同じことをしました。紙がなくなっても平気でした」

C男、一度会議の席で論破してしまったことがある。

次から次へと私の心象を悪くするような証言が続く。

私はもう認めてしまった方が良いのではないかという気がしてきた。

そして、裁判官に向い手を挙げ発言を求めました。

裁判官は「それでは小見山さん、発言をしてください」

「はい」と私は言い発言をした。

「みなさんが言うことはみな事実です。僕ってどうしようもない奴です。自分勝手なことばかりです。すいません。反省します」

すると、観覧席から「謝ればいいんだと思わないでください。自分のやってきたことどんなひどいことをしたか認識してください」

私は最早《もはや》、人として失格のようです。

その裁判では偽証罪の罪を問われ懲役三年、執行猶予六年ということになりました。当然、会社も辞め今は細々と生活しています。

しかし、前よりひどくなったことがあります。私の周りにはおびただしいスパイがいていつでもどこでも私を監視するようになったのです。今日も冷蔵庫を開けるとほら、冷蔵庫の中にもスパイの顔が……。

無限ループ

リストラで職を失い、とうとうアパートも家賃滞納で追い出された男。五十歳前にして家庭崩壊、離婚、一家離散という憂き目にあっている。子供たちはすでに独立していて音信不通。勿論妻とも音信不通。

バブルの時に買った専有面積百平米のマンションも、とうとう、ローンを払いきれず競売にかけられ、一間のアパートに余儀なく引っ越すはめになった。そして、リストラによりそのアパートも家賃滞納で大家から追い出され、着の身着のまま寒風吹き荒れる師走の街に追いやられたのである。

お金もとうとうワンコイン、五百円玉のみになってしまった。

男は駅の立ち食いそばで天玉そばを食べた後、電車に飛び込み死のうと思った。何故天玉そばか？　そばが好きな男にとってその時できる一番豪勢な食事なのだ。

サラリーマン時代よく通勤途中に、「人身事故のためしばらく停車します」と何度も聞いたことがある。この「人身事故」、後で聞くと飛び込み自殺が多いらしい。この方法だと体はバラバラになるだろうが、一瞬にしてあの世に行けるだろう。

もう、家族には迷惑はかからないし、知り合いも誰もいない。このような心理的状態に陥った男には、電車関係の人、通勤途中の人他、社会的に多大な迷惑をかけることには気が回らない。

男の最後の晩餐。天玉そば。美味しかった。そばつゆが胃の腑に沁み入るように食道を通っていった。最後のおつゆを飲み干すと男の目から涙が一筋流れた。これで終わる。何もかも終わるのだ。楽になる。苦しみから解放される。空腹も、食欲、性欲からも全ての欲からも解放される。

ホームの端に立つ……。

男は思わず空を見上げる。太陽が眩しい。
男はめまいとともに青空に吸い込まれていく、あぁー。
ここは真っ暗、暗闇の中。上か下か、前か後ろかも分からない。

ここは何処だ？

死後の世界か？

あの世か？

手で顔を触る。顔の感触はある。

歩いてみる。音はしないが何となく前へ進んでいるような感じだ。まあいいや。ともかく歩いていこう。すると遠く彼方に微かに光りが見える。歩みを早める。どんどん歩いていく。光が大きくなってきた。よく見ると光の中には家らしいものがぽつんと建っている。

その家はまるでおもちゃの家のようだ。ドアの左手の窓から明かりが漏れている。誰か居るのか？

男は恐る恐るドアを開けて叫んだ。

「こんにちは、こんにちはー」

男の声は部屋中に鳴り響くが、すぐに部屋中はシーンとして静寂に包まれる。

男はまた、「誰かいませんかー。怪しいものではありません。居たら出てきてください」と叫ぶ。

しかし、相変わらず人の気配が感じられない。

ふと目の前を見るとテーブルの上に豪勢な料理が所狭しと並んでいる。今まで食べたことのない世界の三大美味、キャビア、フォアグラ、トリュフを始め、日本で最高に美味しいと言われている松阪牛の特上ステーキ、松茸の土瓶蒸し、大間のマグロの特上大トロのお寿司、黄金色したコンソメスープ、食後のデザートには宮崎のマンゴー、夕張メロン等が光り輝いていた。

よく見ると、男がTVを見ては「死ぬ前に一度でいいから食べたいなー」と思っていた料理ばかりだ。男は片端からガツガツ食べ始めた。なんてたって今までの男の収入では逆立ちしても食べられないものばかりなのだ。

「松阪牛、舌に乗せると蕩けるような食感。もう最高！　特上の大トロも旨すぎる。もう死んでもいいー。フォアグラ、初めて食す。んーん。微妙。黄金色したコンソメスープ。もう、天国」なんて、一人ごとを言いながら次々と食べていく。

そして、最後に一息にコンソメスープを飲み干す。

「満足、満足、大満足」

男は舌もお腹も大満足する。

すると今後は急激に睡魔が襲ってきた。眠い。ここは何処かなど、もうどうでも良くなってきている。どこか横になるところはないかと辺りを探ると、なにやらドアがあった。男はそのドアをそっと開けてみる。

なんと、その部屋の中にはベッドが有るばかりでなく、男が大好きな女優がベッドの中から手招きしているではないか。全裸のようである。ベッドの上で横になり、私に向かってウインクして見せたりしている。胸は片方の手で隠しているが、その豊満な胸の盛り上がりは手からはみだしていて、更に欲情を掻き立てる。

男は何度も目をこすって確認したが、間違いない。男の大好きな女優だ。男は無我夢中でその女性にむしゃ振りついていった。もう、何十年も女性の中に入ったことのない男はあっけないほど早く果てていった。

男は久しぶりに深くふかくぐっすり眠った。こんなに熟睡できたのも何十年振りか。

何時間眠ったか、気がつくと男は暗闇の中。いつの間にか隣の女優は消えてしまっている。ここは何処だ。辺りをきょろきょろ見回す。すると、前方にうっすらと光りを感じる。ベッドから降り、光の方に近づくとそこにはドアがあり、そこから光が漏れているのである。男は再びドアを開く。そこには前回と同じテーブルの上にまた素晴らしい料理たちが並んでいた。男は再びがつがつ、むしゃむしゃと食べた。満腹。するとまた睡魔が襲ってきた。目の前を見るとまたあの扉だ。男は、今度は躊躇せず扉の中へ入る。やっぱり、また男の大好きな女優が全裸で手招きしている。男は女優の手招きのままベッドの中へ。今度は性を味わうように果てた。女優も満足そうであった。

また、いつの間にか眠ってしまったそして目覚める。辺りは真っ暗。またか……。こんなことが何回繰り返されたか分からない。

男は腹が減ったら食べ、性欲の赴くままに精を発散させていた。ここにきてやっと男は疑問を持ち始めていた。

「ここは何処なのだ？　誰があの料理を作っているのか？　女優は一体どこから来て、何処へ帰って行くのか？」

疑問だらけである。だけど誰もその疑問には答えてくれない。あれだけ満足していた欲三昧な生活も今は色褪せ、逆に不満と不安が体中を掛け巡っている。

男は自問する。「食べて、寝て、やって、それで何が不満だ」

「俺は人間だ。本能だけ満足しても嫌だ」

しかし、どうしようもない。この現実は変えられないのだ。

今も食事と性欲、睡眠の限りない本能の無限ループは続いている。

男は「地獄だ！　地獄だ！」と心の中で叫びながら女優の豊満な胸の中で果てていった。

ウツボ物語

「キャー！」

真っ赤な顔をして逃げて来るのは伊勢海老のイセコ。何かに追いかけられているようである。後方からあの体型では考えらない位の泳ぎでイセコに迫ってくるのはタコ入道のタコ坊である。タコ坊は八本の足を束ね水の抵抗を少なくしながら泳ぎ、イセコに迫ってくる。その差は一〇メートル位あったのが今や、五メートル先まで迫ってきている。イセコ腰をぴょんぴょんさせながら必死に逃げる。「誰か助けてー！　タコ坊に食べられてしまうわ」

追うタコ坊、逃げるイセコ。その間隔はますます近づいてくる。一メートル、二メートル。しかし、よく見るとイセコ。ある穴に向って逃げているようである。穴まで後一メートル。タコ坊も既に真後ろに見える。イセコ危うし。タコ坊が大きい手を開いてイセコを覆ってしまう、まさにその時、穴からどデカい口が開いたと思ったらタコ坊を一呑みにしてしまった。

イセコ、間一髪のところで助かった。助けたのは全長三メートルもあるだろうウツボのウツオである。

「良くやったイセコ。お前は本当にかわいい奴だウツ」

ウツオはひれに持った楊枝で歯の間に挟まったタコ坊の肉片をホジホジしながら言った。

「本当に今回ばかりはダメだと思ったよ。もう一歩の所でタコ坊に丸呑みされるところだったよ」

と、ホッとしてイセコは言う。

「よし、この調子でまたタコたちをおびき寄せてくれウッ」

「分かったわ、その代わりしっかり私を守ってね。ウツオ」

イセコはウツオにウインクした。

それから三、四日経っても一週間経ってもイセコは現れなくなった。

「どうしたんだろうイセコのやつ。もう全然来なくなってしまったよ、俺、お腹がぺこぺこだよウッ」

しかし、それから待てど暮らせどイセコの姿を見ることはできなくなった。

「何処に行ったんだよイセコ」ウツオを穴から顔をだし大声で叫んでみても反応は全くありません。

とうとうウツオはいてもたってもいられなくなり、穴から出てイセコを探すことにした。

「イセコ何処へ行ったのだよ！……ウッ」

ウツオがあっちの浜こっちの浜を探したがイセコの姿はやはりみつかりません。

ウツオはお腹もペコペコで何か獲物がないかと辺りを見まわしていたら、なんと大好物のタコが海水の中に漂っているではありませんか。

「これはめっけもんだぞウッ」ウツオは体長三メールもあるのに真っ直ぐになると流麗で恰好よい。穴の中にいるときにはグロテスクな顔しか見えないのでその優雅さが分からない。真っ直ぐ獲物に向っているウツオは更に格好良い。イセコはそんなウツオに惚れてしまったのかも知れない。

ウツオはタコめがけてまっしぐらに進む。幸いなことにタコはウツオのことに気付いていない。ウツオは音もなく進む。その距離二メートル、一メートル。タコは気付いた。タコはパニックになり八本の腕をばたつかせタコ踊りを踊ったが、まったく無駄な動きであった。ウツオの顔がドアップになったと思ったら一呑みにされてしまった。しかし、ウツオはやったと思った瞬間体がふわりと軽くなり気を失った。


青い海、白い雲。カモメたちは気持ちよく空を泳いでいる。何処までも果てしなく見える水平線。

浜では漁師たちが網焼きやっている。今日漁で採れた魚介類を網の上で焼いている。ある漁師が言った。

「今日は大量だったよ。特に三メートルもあるウツボも採れたよ。こいつ相変わらず不気味な顔をしていたよな」


気が付いたらウツオ、体が熱く焼き殺されそうな感じがし、「もう俺駄目かもしれない……ウッ」と思った。すると隣の方から「ウツオ」という声がかすかにした。ウツオは横を向くとそこにはあれだけ探していたイセコがいるではないか。イセコはさらに腰を曲げ苦しそうにしている。そしてイセコ苦悶しながら言った。

「私たちはこれまでだね。あの漁師のお腹の中で再会しましょう。最後に会えてよかったわ」

ウツオは「分かった。また会おう、今までありがとうイセコ……ウッ」

というとウツオの目から一筋の涙がこぼれた。


漁師たちは「この伊勢海老うまいな、ウツボだっておいしいよな」なんて言いながらウツオとイセコを食べてしまいました。

めでたし、めでたし。

何がめでたいのか分からないうちにウツボ物語は終了です。

童話の世界を旅したら

桃太郎の章

エログロナンセンスの時代に生きた俺はエログロナンセンスになっていた。ハードゲイになったりもしたが、それは……。

そんな嘘八百を書いている俺はピノキオになった。ピノキオになって旅をしていると狐や狸にだまされそうになったり、人形芝居の親方に焼かれそうになった。俺はもう、こんな世界はこりごりだと海に乗り出したら大きなクジラに飲み込まれてしまった。あーもうダメだと思ったらクジラの潮吹きの穴から海水と一緒に飛び出してしまった。あー助かった、と思ったらそこはクジラの背中。仰向けになって天を仰いでいると、いつしか鼻がドンドン、ドンドン伸びて天まで届いてしまった。俺はその鼻をドンドン、ドンドン登っていくと、いつしか「ジャックと豆の木」のジャックになっていた。

天に住む大男から金の卵を産む鶏をかっぱらって逃げているとき、俺は天の裂け目から足を滑らせてまっ逆さまに落ちてしまった。

……空の裂け目は実は女性の裂け目であった。俺は大声をあげて泣いた「オギャー、オギャー」俺がこの世に生まれた瞬間であった。

いきなり天が裂かれ光が入ってきたとおもったらおじいさんとおばあさんが「この子は桃から生まれたので桃太郎と呼ぼう」と言ったので、俺は桃太郎になった。桃太郎になった俺はいつしか不良になっていた。俺は猿と雉と犬をキビ団子で悪の道に引き入れた。

そして、これから鬼ヶ島にいって財宝をかっぱらう算段をしていたのだ。

一方、鬼ヶ島の鬼たちは、顔を赤くしたり青くしたりして一生懸命働いて財をなしていた。鬼ヶ島で鬼たちはとっても平和に暮らしていたのである。

すると、そこへ桃太郎が雉と猿と犬を連れて有無を言わさず鬼たちをやっつけた。鬼たちは金棒を持っているがこれは決して戦うために持っているのではない。自分たちを守るために持っているだけだ。

鬼たちはたった一人と三匹の獣にやられてしまい、せっかく汗水たらしてためた財宝を渡してしまった。鬼たちは悔しがったが、決して復讐を考えなかった。鬼の長老が言った。

「暴力で仕返してもまた暴力を呼ぶ。永遠に暴力の渦の中に巻き込まれてしまう。そんなことしても無意味に仲間が犠牲になるばかりじゃ」

そんなことで鬼たちは全てを受け入れ、また、顔を赤くしたり青くしたりしてせっせと働きだした。

財宝を手にした俺である桃太郎一行、鼻高々でおじいさんとおばあさんに報告した。

「さすがわが息子、桃太郎じゃ」

おばあさんも大喜び。この財宝で桃太郎御殿を建て幸せな暮らしをしたそうじゃ。


このおばあさん、数年後に狸に婆汁にされて食べられてしまう……。

浦島太郎の章

金持ちになった俺でもある桃太郎。毎日やることがなくぶらぶらしていた。人間暇を持て余すと、とかくダメになる。桃太郎は何か刺激を持て余しているうちにますます不良になっていった。

そして近所での評判も最悪。桃太郎って善良な鬼から財宝を奪い「桃太郎御殿」なんて言われるほどでっかい家を建てた。とんでもねーふてー奴だ。なんて近所のおじさん、おばさんたちからやっかみ半分に陰口も叩かれていた。

そんな陰口を耳にする度に桃太郎の不良ぶりに拍車がかかっていった。

今日も浜辺にいる子供たちや、亀などをいじめて遊ぼうと思い、早速、手下の猿、雉、犬を連れて浜辺に向かった。すると浜辺では村の子供たちが大きな亀をいじめて遊んでいる。多分あの手足の形から海がめだ。象亀では絶対ない。

「こら、君たち何をいじめているんだ。ダメじゃないか」

「だってこの亀、バカでのろまだからいじめていいんだよ。学校の先生も言っていたぞ。のろまで間抜けな亀はいじめていいって」

「バカたれ、何を言っているんだ。学校の先生がそんなこと言うはずはないアホ、マヌケ」

俺でもある桃太郎、とんでもなく口が悪い。

いきなり正義漢ぶった桃太郎。自分が悪さをするのはいいのだが、人が悪さをするのは許せない。なんとも我儘な性格である。

「君たちちょっと、こっちにおいで。亀をよこしたら飴玉あげるから。こっちにきて口を開いてなさい」

疑うことのない村の子供「ちょうだい、ちょうだい飴玉ちょうだい」といって大きな口を開いて飴玉を待っている。すると、桃太郎はいきなり拳骨《げんこつ》で子供たちに頭を殴りつけた。ゴッツンゴツンと鈍い音がした。子供たちはワーと言って泣き出した。

「桃太郎の嘘つき、今に罰があたるぞ。母ちゃんに言ってやるからな」

と言って大急ぎで逃げ出していった。

子供たちがいなくなると、桃太郎は亀の所にいきひっくり返して遊ぼうとすると亀は言った。

「ありがとうございます。助かりました。このお礼は竜宮城でさせていただきます。どうぞ背中に乗ってください」

「え、本当かよ、いいのか」

なんて、言って桃太郎は亀の背中に乗る。

すると、猿と雉と犬は「俺たちも行きたいな～」とぼやく

「ダーメ。亀に乗るのは俺だけ、君たちはさっさと帰りなさい。ほらきび団子やるから」

と、遠くへ放り投げる。

そこは獣の浅ましさ。三匹とも本能のまま団子の方へ走り出す。

「さあ、亀さんいまのうち行ってください。竜宮城へ」

あくまでエゴイスティックな桃太郎の俺である。

亀はどんどん海の深い方へ向かって泳いでいく。俺はいつの間にか桃太郎から浦島太郎にな

っていた。「むかし、むかし浦島は助けた亀に連れられて」なんて鼻歌が出てくる。亀はギョロメを開けて浦島に訴える。

「俺は陸上ではノロマだけど、海の中ではほらこんなにうまく泳げるのだ。特性が違うもの同士を比べて馬鹿にするな」

「そうだな、たいしたものだ。海の中ではすいすい泳げるものな。亀さんすごいな」

今の状況で下手に口答えして海中に放り出されるとたまんないと思った浦島は、亀に同調しただけだ。

いつものことだけどこずるい浦島であった。しかし、そんなことは分からない亀はやっと気が晴れたようである。また気持ちよく海の中をすいすい泳ぎだした。

「浦島さん、ほら見えてきましたよ、竜宮城が」

珊瑚揺らめく海草の向こうにみえるのは何とも立派な竜宮城だ。竜宮城に着くと早速、中に通された。竜宮城の中では鯛やヒラメやエンゼルフィッシュや色とりどりの魚たちが歓迎の舞をしてくれている。伊勢海老もいる。俺である浦島太郎「伊勢海老、美味しそう、食べてぇー」と思ったがぐっとこらえた。

そして長～い回廊を歩いていくとやっと乙姫様謁見の広間へ到着。

乙姫様は本当に優雅に佇んでいる。周りには色とりどりの小魚たちが花を咲かせたように漂っている。乙姫様、まるで仲間由紀恵のように目がぱっちりした美貌の持ち主だ。

浦島太郎は「へへー」と傅《かしづ》いた。

「そなたがこの亀の亀太郎を助けてくれたのですね」

「あ、はい、そうですけど」

「ありがとう、亀太郎に代わりお礼を言います。ここにいる間、酒は飲み放題、美女もたくさんいます。飲んで、女性と飽きるまで遊んでください。もし、ギャンブルをやりたかったら『海物語』というパチンコ台もあるので、十分堪能してください」

俺である浦島太郎は毎日、毎日宴会続き。鯛やヒラメの裸踊り。飲めや歌えの酒池肉林。

しかし、しかし、毎日遊び呆けているとさすがに浦島太郎はこれで良いのだろうか悩み始めた。毎日、こんな快楽ばかりに溺れていいのだろうか?

ある日、鯛のタイ子とまぐわっているとき決断した。俺はこんなことをしている暇はないんだ。早く帰らなければならない。おじいさんも、おばあさんも心配しているだろう。あの手下の猿、雉、犬とも会いたくなってきた。

家が懐かしい、あの浜辺が懐かしい。家に帰りた〜い。

浦島太郎、重度のホームシックに罹ってしまった。

そんな訳で浦島太郎、仲間由紀恵似の乙姫様に「もう十分遊ばせて頂きました。ありがとうございます。そろそろ元の場所に返してください。お願いします」

と嘆願した。

「そうか、元の場所に帰りたいか。ここは時間もない、当然死ぬこともない永遠の快楽がまっているところなのにもったいないが、しかたがない。それほどまでに言うのなら分かりました」

と言うと、側近の竜の落とし子のタツ子に言う。

「亀の亀太郎を呼んで」

「かしこまりました」

仲間由紀恵に似た乙姫様は亀太郎に言う。

「これ、亀太郎、浦島さんを元の場所へお連れしなさい」

「はい、分かりました。さあ、浦島さん、来たときと同じように背中に乗ってください」

浦島太郎は亀太郎の背中に乗った。

「さようなら仲間由紀恵似の乙姫さん」

「さようなら浦島さん」

乙姫さん手を振っている。鯛やヒラメも舞い踊りながらマスゲームのように「さよなら」の文字を作ってくれている。

すると、乙姫さん、何かを思い出したようにある物を放り投げた。

「それはお土産です。何か困った時だけに開けてください。それ以外決して開けてはなりません」

浦島太郎が手に取るとその黒い重箱には「玉手箱」と書いてあった。

しばらくして海岸に到着した。

亀太郎と別れた浦島太郎は見慣れた海岸あたりをぶらぶらしてみるが、見知った人は誰もいない。あの悪ガキたちもいない。不安になった浦島は我が家に向かって歩き出した。確かに見知った街ではあったが何かよそよそしい。知り合いの誰とも会わないしすれ違わない。どうしたんだろうと思って我が家に戻ってみると、なんとそこは「竜宮」いう名のパチンコ屋になっていた。あの犬と雉と猿はネオンサインの中に溶け込んでいる。どうしたことであろう。

浦島太郎は中に入り店長と思しき人に「ここの前の家はどうなったのか?」と聞いてみた。

するとなんと痛ましい事件が起こっていた。

浦島太郎が居なくなったあと、おじいさんとおばあさんはもっと富を増やそうとして先物取引に手をだして家までなくなってしまったそうだ。

挙げ句の果てに中年の狸に婆汁にされて食われてしまった。「あわれなものよのう」遠い目をして店長は言った。

人間欲をかくとロクなことにはならない。

失意にくれる浦島太郎。

もう自分には帰る家もなければ仲間も両親も居なくなってしまった。ふと目の前をみるとあの玉手箱がある。確か乙姫様は困った時に開けろと言っていたはずだ。

開けるのは今だ。


浦島太郎はまた海岸に引き返した。

夕日が海に溶け込んでいく素晴らしい光景だ。

これを見ながら死ぬ覚悟で玉手箱を開けてみよう。

浦島太郎は丁寧に重箱の紐をはずし静かに箱を開ける。

すると中から白い煙がモクモクと立ち上がってくる。

すると浦島太郎は……。

かちかち山の章

ゴホン、ゴホン。

「煙い煙い、どうにかしてよこの煙、目が真っ赤になっちゃったじゃないの。あれ、耳まで伸びている。体中が真っ白な毛で覆われている。なにこれ」

俺は、目の前にある湖面に体を写してみると、なんとそこには真っ白なウサギがいるではないか。どうやら煙とともにウサギになってしまったようだ。声も甲高い。人間の年でいうそこその年、ちょっと妖艶な感じだ。

俺は浦島太郎だと思っていたら煙とともにブルーベリーという白ウサギになっていた。それも二十六歳位の雌ウサギ。恋愛経験豊富。雌ウサギになったとたん俺は性格も変わってしまったらしい。なんかうっふんな感じだ。

俺はこんなことも受け入れなくてはと思うと情けなく思い、思わず泣いてしまった。

「ブーブー」

ウサギはまるで豚のような鳴き方をする。「ブーブー」。

ウサギになって初めて知ったことだ。嘆いていてもしょうがない、一体ここは何処か、いつの時代だろう。まずはブラブラすることにした。

すると、前方から息せき切って走ってくるお爺さんがいる。

「お爺さん、お爺さん、そんな急いでどうしたのですか？」

お爺さんはハーハー、ゼーゼー言いながら答えた。

「ウサギさん、ウサギさん、わしは大変なことをしてしまった」

「どうしたのです？」

「婆さんを食ってしまったんじゃよ。くそーあの、悪賢い中年の狸の奴」

「え、お婆さんを食べちゃったってどういうこと？」

「それがなお前さん、聞いてくれるかの」

お爺さんが言うことはこういうことであった。

畑にまいた種が芽を出し食べごろの芋を、あの中年の性悪狸が毎夜出没して食べ荒らしてしまうので、お爺さんが夜な夜な見張っていて、とうとう捕獲した。

こいつ、狸汁にして食ってしまおうかと家に持ってかえり、とりあえず家に置いて畑仕事にでてしまった。家には婆さん一人だ。この婆さん、人が良い婆さんでお爺さんは大好きだったのだ。その婆さんをこの性悪狸が騙したのだ。

「お婆さん、お婆さん、ごめんなさい、ごめんなさいもう二度と悪戯をしません。許しておくれ。お願いします。お願いします」

とすがるこの狸の気持ちに絆《ほだ》されお婆さんは紐を緩めたんだ。すると、この狸はとんでもないことをしでかした。近くにあった鉈《なた》でお婆さんの頭を叩き割り殺してしまい、この鍋に放り込んで婆汁にしてしまったのだ。それだけでも許せないのだ。絶対。

しかし、まだあった、わしが家に帰るとお婆さんが「ご苦労様だねえ、ここに鍋をこしらえておいたのでお食べ」と言うのでまるで疑いもせず食べてしまったのだ。するとお婆さんだと思っていたこいつ、実は狸だった。

この狸、正体を現すと「ばーか、ババーを食ってやがんの」とあてつけて逃げていったのだ。

それでわしは、許せんと思いあの中年の性悪狸を追いかけてきたのだ。

悔しくて、悔しくて「畜生、チキショウ！」

でも俺はもう年、もうふん捕まえることも難しいだろう。

あのくそ狸め相当警戒しているだろうからな。

それを聞いた俺でもあるウサギのブルーベリー。

「許せない、絶対！　お爺さん復讐しましょう。こんな中年の悪狸を生かしておいたら世のため人のためにならないわ。なんてったって殺人まで犯しているんだから」

と、言うことでウサギのブルーベリー、略してベリー。この中年でいやらしい性悪狸をやっつけることにしたのだ。

畜生といえど女性を怒らせたらおっかない、もう、股間のたまたまも縮みあがるほどだ。

で、いよいよ、俺でもあるベリーの復讐が始まる。


今やあの狸、昼夜問わず畑を荒らしている。お爺さんもがっくり落ち込んでいる。

「お爺さん待っててね。必ず復讐してあげるから」

そう言うとブルーベリー、この狸に近づいていった。するとスケベ狸の目がハートになり俺でもあるウサギを舐めるように見る。

「狸のおじさん、私と遊ばない。私、暇なのただでいいのよ」と尻を軽く持ち上げウインクした。スケベジジーの狸、目がハートのまま涎をたらして「遊ぶ、遊ぶ何して遊ぶの。トランプ何て嫌だよ。大人の遊びだよ」

「もちろん大人の遊びよ」またウインクする。

狸オヤジこんどはハーハーいいながら「早く遊ぼう、早く遊ぼう」と股間を膨らませながら居てもたってもいられない感じだ。

本当にこいつどうしようもない奴だな。もう股間をあんなに膨らませてやがら。

「分かった、分かった、あそこの小屋で遊ぼう。私についておいで」

ベリーはぴょんぴょん跳ねて小屋まで駆け上がる。

その後からタマタマと棒を地面にこすりながら中年スケベ狸がついてくる。

そして二人、小屋の中に入って行った。中年の狸オヤジ抜け目ない、小屋に入るとバタンと扉をしめ鍵をかけた。その瞬間、ベリーに飛びかかった。


そんなこと百も承知とベリーはあっさりかわし、振り向くと狸に言った。

「やらしてあげてもいいけど。その前に私やりたいことがあるの」

狸はスケベ顔して聞く。

「何、何でも言ってみなさい、早くいってみなさい」

「私、Sの気があるの。一度、女王様になってあなたのような人をいじめてみたいの」

ベリーは狸ににじりより「ねえいいでしょう、お願い一度だけ。そうすれば私の体を好きにさせてあげるわ」

「わ、わかった、分かった。好きなようにしなさい。実をいうとわしはMっ気があるんじゃ。良しなにしなさい」

「おじさんありがとう、それでは好きなようにさせてもらいますね。まず手を後ろにして縛らせてね」

「え、縛るのか。本格的じゃのー」

「そうそう、縛るの一度やってみたかったの」って、ベリーは媚を売りながらこの中年スケベ狸を縛っていく。

「ちょっときついではないかい。これ」

「きつめのほうが気持ち良くなるのよ。よく分からないけど」

「そんなものかの〜、ちょっと苦しいが我慢しよう」

すると、ベリー剃刀をだし、シャボンを泡立てている。

「剃刀を何するのだ。まさかわしを切り刻もうっていう気じゃないんだろうね」

「まさか、そんなこといたしませんわ。ただ、背中の毛を剃らせてもらうだけです」

「なんでそんなことする必要があるんだね」

「そのほうが気持ちよいね。ね、いい子だから剃らせて」

ベリー、スケベ狸の股間を撫であげる。

「分かった、分かった好きにしなさい」

ベリー、ニヤッと笑い、やにわにスケベ狸の背中にシャボンを塗るといきなり毛を剃り始めたと思うとあっという間に剃り上げてしまった。その背中は青々している。

「おじさん、おじさん、終わりました。これからが本番よ。ちょっと熱くて痛いかもしれないが我慢するのよ。我慢すればするほど快感も高まるからね。分かった？」

　何も知らないスケベ狸、早く終わらせてやりたい一心で、

「分かった、分かった早く済ませてくれ」

「絶対、こちらを振り向いてはいけませんよ。見たら最後、この剃刀が首に食い込みますよ」

「ひー、分かったから早くやりなさい」

　ベリー、どこから持ってきたか分からないが太いローソクに火を点ける。

　ローソク炎はゆらゆらゆらめく。

　周りの蝋は溶けて下にぽたりぽたりと落ちる。

「いい、行くわよ、絶対我慢してください。我慢しないと気持ちよくなりませんからね」

「……分かった」

　で、ベリー、むき出しの肌に蝋を一滴垂らす。

「アチー、背中が熱い、勘弁してくれー」

「まだ、まだこれからですよ、我慢しないと気持ち良くならないといったでしょう」

　ベリー、次々と狸の背中に蝋を垂らしていく。

「熱い、熱い、助けて、死にそうだ、もう勘弁」

「ほらだんだん気持ちよくなってきたでしょ」

その証拠にあまりに熱いので感覚が鈍くなってしまったのでしょうか。あまりにも苦痛であると脳内快楽物資、脳内麻薬ともいわれるドーパミンが放出され苦痛が軽減されるという。死んだ人の脳にはドーパミンで満たされているという。

中年スケベ狸の目がトロンとしてきて恍惚の顔してきた。

ドスケベなオヤジだぜ。

「終わったぞ、オヤジ」

ベリーは容赦なくバケツで水をざぶっと掛ける。

「冷たい、冷たい、今度は何をするんだ、バカ、アホ、トンマ」

ベリーが背中のべっとり固まった蝋をとると剥き出しの背中が現れた。

剥き出しの皮膚は水ぶくれになり真っ赤になっていた。

「あーあ、真っ赤に焼けただれてしまった」

「熱かったおじさん、気持ちよかったおじさん？」

ベリーは悪魔のような声でスケベ狸に囁いた。

すると狸は、

「背中が熱くて痛い。何とかしてくれお願いだから」

「分かった、今背中にお薬を塗ってあげるから待っててね。その後やらせて、あ・げ・る」

と、言ってまた狸の股間をやさしく撫で上げた。

「はひー、もう我慢がならん。早くやらせてくれ。お願いだ。頼む。金でも何でもやるから」

「いい子だから待っていてね」

と、言って狸の膨張しきっているちんちんの先っぽを弾いた。

その瞬間、中年スケベ狸は白目を向いて失神してしまった。

「いく〜、いく〜」ドビュッとな。

ベリー、次にやること。

芥子《からし》を大量に練り、焼きただれた背中に芥子を塗りつけることだ、今にみておれエロ狸。ベリーは復讐の炎を青白く燃やしていた。

目を向いて失神しているスケベ狸に水をかけ「起きろエロジジー」

すると狸は目を覚まして言った。「は、早くやらせてくれー」

「バーカ、まだだよ、次は薬を背中に塗ってあげるから背中をだしなさい」

ベリー、女王様の本性をだした。

「また、何かやるのか、もう勘弁してくれ。やらしてくれ〜」

「やらしてくれ、やらしてくれとさっきからうるさいエロ狸だ。早く背中をだしな。そしたらやらしてあげるから。本当だよ」

「本当か、本当だな、嘘ついたら針千本飲ますぞ」

「本当だ、本当だよ、嘘つかない。早く背中をだして」


狸、すごすご背中をだす。

狸の背中は水ぶくれができ、まっかに腫れ上がっている。

そこに、真黄色の芥子をたっぷり塗りたくった。

「ひえー、痛い、痛い、熱い、熱い助けてくれ、誰か～」

「痛いのと熱いの我慢すれば直る。我慢しろ、オヤジ」


ベリーはこんな狸に冷ややかに言った。

お婆さんを殺して婆汁にし、お爺さんに食べさせた罪はこれ位では収まらない。とんでもない奴だ。

これはベリーにとって、お爺さんだけの代理戦争ではなくなっていた。昔、私を騙した男たちへの復讐でもあった。悔しい、思い出すだけでもベリーは悔しさで涙が滲みでてくる。

俺であるブルーベリーのウサギ、扉の鍵を壊し外にでた。そして、外から鍵をかけ狸がこの小屋から出られないようにした。ベリーはそ知らぬ顔をして小屋から遠ざかった。

それから数日経ったある日。ベリーはあの狸がどうなったか気になっていたので小屋の中を見てみた。すると縛ってあった縄は解かれ何処にも居なくなっていた。逃げたな中年スケベ狸。その頃、この狸は自分の巣でじっとしていた。背中の傷が癒えるまで動けなかった。あれからやっとの思いで、縄を解き、窓を壊し脱出し近くの湖で背中を洗った。しかし、背中の傷はケロイド状になり醜く残った。

おのれ、あのドSウサギ。今にみておれ。一発ぶちかまさなければ気持ちが収まらない。今は傷が癒えるまで待とう。

それから一ヶ月、すっかり傷も癒えた中年狸。その時を待った。

この中年エロ狸、ベリーをどうしてくれようと湖畔に立って思案していると、向こうからウサギのベリーがやってくるではないか。ベリーはすたすたとこの中年の狸に近寄ってきて言った。

「あの時はごめんなさい、やらしてあげるという約束守れなくて」

「え、それではやらしてくれるの」

「ええ、でもここでは嫌、月夜の晩、湖上であなたに抱かれたいの」

「むひょー。本当か」

この中年エロ狸も単純である。リビドーに悉く負けてしまう。


待ちに待った月夜の晩になった。

ベリーがこの狸に聞いた、

「大きい泥の船と、小さい木の船どっちが良いですか？」

「どっちがいいって、大きい船の方がゆったり出来て良いに決まっているだろう」

「分かったわ、じゃーこっちにしましょう」と言ってベリーは大きい泥の船に軽く飛び乗る。早くきて、ベリーは科《しな》をつくって股をひらいてスケベ狸を誘う。スケベ狸は小躍りして、大きい泥の船に飛びのり、ベリーに抱きつこうとした。その刹那、ベリーはすかさず起き上がり隣に停泊させておいて木の船に飛び乗った。そして、思い切りオールで大きい泥の船を沖の方においやった。

しばらくたつと、泥の船はみるみるうちに溶け出し湖の中に沈んでいく。

慌てた狸は「助けてくれー、誰か〜、ベリー。裏切り者〜、嘘つきー、やらせろー」

と叫びながらブクブクと湖の底へ沈んでいった。

最後までリビドーに翻弄され続けたドスケベ狸であった。

それを見ていたベリー。

「ざまー見さらせ」

これで復讐成功とほくそえんでいた。

お爺さんに報告しようと急いで家に行き扉を開け中に入ると突然異空間に投げ出された。周りは真っ暗闇だ。

さて、この後、俺でもあるウサギのブルーベリー何処に行ったのであろうか？

しかし、ベリーが去った後、湖からドロドロになりながら上がってきた影があった……。その影は一体……。

「かちかち山の章」これにて終わり。

童謡　ゾウさんの章

周りは真っ暗闇だ。

さて、この後、俺でもあるウサギのブルーベリー何処に行くのだろうか？

ふと、気がついたら動物園の象のエリアの前。格好も背広に安物のＹシャツ、折れ目のないズボンをはいている貧乏作家小見山悠に戻っている。今までの旅はどうだったんだろうか？

象園の前でボーっとしていると後ろからおかあさんにつれられた幼稚園位の女の子が大きな声で童謡・唱歌の「ぞうさん」を歌っていた。

ぞうさん ぞうさん おはなが ながいのね
そうよ かあさんも ながいのよ
ぞうさん ぞうさん だれが すきなの
あのね かあさんが すきなのよ

小見山は思った。この歌は一体何が言いたいのだろう。

「母さんも長いのよ」って言っているけど、一体それが何。

小見山は悩んだ、悩んで、悩んでいるうちにいつの間にか小見山は赤いスカートを履いた小さい女の子になっていた。

手をつないでいるのはお母さんだ。この時はまだ若くてきれいであったんだなあと。眩しそうに見上げるとお母さんはにっこり笑ってくれた。私は嬉しくなって手をぎゅっと握ったらおかあさんも握り返してくれた。

私は象が不思議でならなかった、何で耳は団扇のように大きく鼻が長いのだろうか？

親子づれの象がいたので思わず聞いてみた。

「小ゾウさん、小ゾウさん、どうしてあなたの鼻は長いの？」

「そうなの私、鼻が長いのよ、母さんだって長いから安心なの。意地悪な猿や、狐やライオンからいつもお前は鼻が長い、変なのと馬鹿にされているけれど平気さ、ほら母さんだけでなくお兄さんだって、仲間たちもみんな長いからね。ただ、ほら、あそこで元気なくしている小ゾウがいるでしょ。どうして元気ないか分かる？」

「ねえ、どうして教えて」

「それはね、あの象も私と同じ鼻が長い、可笑しい可笑しいと他の動物に苛められて、鼻が長いのは嫌だと思いこんで落ち込んでいるの。可笑しいでしょ。だって鼻を切り取ったら象ではなくなっちゃうじゃない。変な象なの」

「ふーん、そんなものなのか」

小さな女の子になってしまった小見山、象の世界も大変だなあと思った。

でも、この象、自分が象であることに誇りを持っていてどうどうとしている。

立派だな。

私はどうなのだろうと小見山過去を振り返ってみた。

そこには背が小さくて悩んでいたり、勉強がなかなか出来るようにならないといっては悩んでいた。今じゃ髪の毛が薄くなってきたと悩み始めている。

一体、何なのだ、俺は……。

お、そうだ人間悩むものなのだ。

だから精一杯、悩めばいいんだ。だって人間だもん（どこかで聞いたことがあるぞ）。

と思って手は皺しわになっており母親の顔をみると、その顔は八十八歳の老婆になっていた。

顔は皺くちゃで昔のことばかり話す。もう長くはないな……。

自分はというといつのまにか女の子から、髪の毛が薄く白髪だらけの初老のオヤジになっていた。

「そうだ、俺も小象のように全て受け入れよう。

所詮人間は人間なんだ。生まれたからには誰でも死が訪れる。

悩んだってしょうがない。神にも仏にもなれないものな」

と、象の親子を見ていてそう思った小見山であった。

どこからともなくまたあの歌が聞こえてきた。

ぞうさん ぞうさん おはなが ながいのね

そうよ かあさんも ながいのよ

ぞうさん ぞうさん だれが すきなの

あのね かあさんが すきなのよ

その後、小見山はキリン園に足を運んだ。

そしてふと思った。

「どうしてキリンの首は長いのだろう？」

コミーの旅は未だ続く。

あとがき

最後まで読んで頂き、誠にありがとうございました。

この作品は、私（コミー）が五十四歳～五十五歳の失業中に書き綴った作品群を整理して、短編集としてまとめたものです。つまり、令和五年一月現在、作者の年齢が六十六歳なので十年前の作品ということになります。そのような理由で、作中に出てくる三十年前、四十年前という表記は、作者が五十四、五歳の頃からの年齢と読み替えて頂けると幸いに思います。

時代的には昭和三十年代、コミー誕生からリーマンショックから五十四歳でリストラに遭う平成二十一年位までが背景になっております。

この短編集を出版する動機は何かと、問われれば、高校時代に文学に目覚め日記のような文を書き記すようになり、文章に目覚めていったということがきっかけです。その頃から、漠然と作家になり本を出版したいと思うようになりました。大学、社会人になりその思いは、心の底に青い炎となって燃え続けていたということです。

それが、リストラで失業時、失業保険も溜まっていることが分かり、約十ヶ月のロングバケーションに、今まで溜まっていた文章を整理し、作品として新たに書き記すことに注力しました。

それから十年後（二〇一九年十月）、幸いにも『ショー失踪す！』という作品が幻冬舎から出版できました。最初の出版から三年後の二〇二三年、再び風詠社から出版出来る喜びを得ることが出来ました。

この期間を通し「思いは諦めなければいつしか叶う」ということをしっかり学ぶことができました。ただ、それは途方もなく長い年月をかけ、人生を懸ける位エネルギーが必要であることも同時に学びました。

まだまだ、溜まっている作品群は多々あります。これらの作品群も生があるうちに世に出せればとつくづく思う次第であります。

今後とも宜しくお願いします。

最後に、稚拙な文章を最後までしっかり見て頂き、出版まで漕ぎ尽かせて頂いた風詠社・社長の大杉様に心より感謝をしたいと思います。

二〇二三年一月二日　コミー

著者略歴

コミー

昭和31年10月生まれ。
大学を卒業後、IT業界においてシステムエンジニア、人事、パソコンインストラクター職を経て、現在、某公共機関おいてキャリアコンサルタント（就労支援）として従事している。
その傍ら人生の集大成を目指し執筆活動を続けている。

既刊『ショー失踪す！』著者コミー　幻冬舎より発売中。

コミーの青春・序章 過ぎ去りし日々

2023年5月12日　第1刷発行

著　者　コミー
発行人　大杉　剛
発行所　株式会社 風詠社
〒553-0001　大阪市福島区海老江5-2-2
大拓ビル5 - 7階
TEL 06（6136）8657　https://fueisha.com/
発売元　株式会社 星雲社
（共同出版社・流通責任出版社）
〒112-0005　東京都文京区水道1-3-30
TEL 03（3868）3275
装幀　2DAY
印刷・製本　小野高速印刷株式会社

ISBN978-4-434-31887-0 C0093

料金受取人払郵便

大阪北局
承　認

1635

差出有効期間
2025 年 1 月
31日まで
（切手不要）

郵 便 は が き

553-8790

018

大阪市福島区海老江 5-2-2-710

㈱風詠社

愛読者カード係 行

ふりがな お名前		大正　昭和 平成　令和　　年生　　歳	
ふりがな ご住所	□□□-□□□□	性別 男・女	
お電話 番　号		ご職業	
E-mail			
書　名			
お買上 書　店	都道　　市区 府県　　郡	書店名	書店
		ご購入日	年　月　日

本書をお買い求めになった動機は？
1. 書店店頭で見て　　2. インターネット書店で見て
3. 知人にすすめられて　　4. ホームページを見て
5. 広告、記事（新聞、雑誌、ポスター等）を見て（新聞、雑誌名　　　　）

風詠社の本をお買い求めいただき誠にありがとうございます。
この愛読者カードは小社出版の企画等に役立たせていただきます。

本書についてのご意見、ご感想をお聞かせください。
①内容について

②カバー、タイトル、帯について

弊社、及び弊社刊行物に対するご意見、ご感想をお聞かせください。

最近読んでおもしろかった本やこれから読んでみたい本をお教えください。

ご購読雑誌（複数可）	ご購読新聞
	新聞

ご協力ありがとうございました。

※お客様の個人情報は、小社からの連絡のみに使用します。社外に提供することは一切ありません。